KB091788

검찰국가의 탄생

검찰국가의 탄생

검찰개혁은 왜 실패했는가?

초판 1쇄 인쇄 2023년 1월 10일
초판 1쇄 발행 2023년 1월 14일

지은이	이춘재
펴낸이	이영선
책임편집	이민재

편집	이일규 김선정 김문정 김종훈 이민재 김영아 이현정 차소영
디자인	김회량 위수연
독자본부	김일신 정혜영 김연수 김민수 박정래 손미경 김동욱

펴낸곳 서해문집 | 출판등록 1989년 3월 16일(제406-2005-000047호)
주소 경기도 파주시 광인사길 217(파주출판도시)
전화 (031)955-7470 | 팩스 (031)955-7469
홈페이지 www.booksea.co.kr | 이메일 shmj21@hanmail.net

ⓒ이춘재, 2023
ISBN 979-11-92085-88-3 03300

검찰국가의 탄생

검찰개혁은 왜 실패했는가?

이춘재 지음

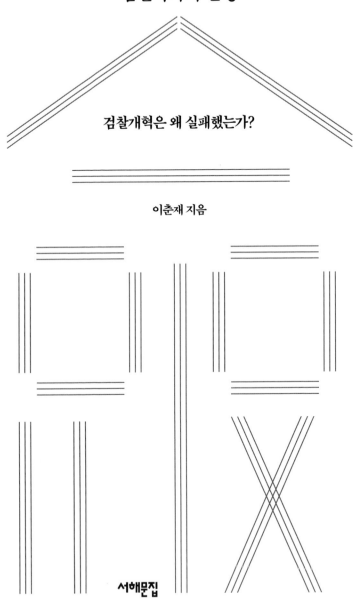

서해문집

머리말

익명의 취재원들이 없었다면 빛을 보지 못했을 책이다. 문재인 정권과 윤석열 검찰의 밀월, 반목, 충돌 과정을 직접 보고 들은 이들의 생생한 증언은 일련의 사건이 일어난 원인과 배경을 투명하게 이해하는 데 결정적 도움을 줬다. 익명에 기댄 과장이나 착오는 교차 검증과 후속 취재로 최대한 바로잡으려고 노력했다. 동료 기자들도 큰 힘이 됐다. 《한겨레》 법조팀이 긴 시간 채집한 '현장의 축적'이 책의 내용을 더욱 기름지게 했다. 함께한 모두에 감사드린다.

원고를 마무리할 무렵 대학교수들이 올해의 사자성어로 '과이불 개過而不改'를 꼽았다는 소식이 들려왔다. 《논어》에 나오는 이 말은 잘못을 알고도 고치지 않는 건 더 큰 잘못임을 일깨운다. 그런 심정으로 썼다.

2022년 12월

이춘재

일러두기
본문에서 출처가 명기되지 않은 발언과 사실은 저자가 취재·인터뷰한 것이다.

촛불정부가 만든
검찰정권

문재인 정권의 검찰개혁은 실패했다. 문 정권이 검경 수사권 조정, 고위공직자범죄수사처(공수처) 출범 등 과거 정권에서 해내지 못한 제도적 개혁을 어느 정도 이뤄낸 것은 사실이다. 하지만 내용적으로는 완전히 실패했다. 무엇보다 '대통령 윤석열'이 그 증거다. 검찰개혁을 둘러싼 갈등 끝에 검찰총장직을 내던진 그가, 검찰개혁을 캐치프레이즈로 내건 문재인 정권의 재창출을 막은 것만큼 확실한 증거가 또 있을까. 검찰개혁이 성공했다면 지금 대통령 집무실의 주인은 다른 사람일 것이다.

검찰개혁의 최종 목적지는 '검찰권에 대한 국민의 신뢰'다. 그 믿음의 전제는 검찰이 정치 권력에 영합하지 않고 검찰권을 공명정대하게 행사하는 것이다. 그러지 못하고 국민이 검찰을 불신한다면 공수처를 도입하든, 검경 수사권을 조정하든 아무런 소용이 없다. 불행히도 '검찰총장 윤석열'에서 '대통령 윤석열'로의 이행은 검찰의 정치적 중립을 뿌리째 흔드는 결과를 초래했다. 그가 임명한 법무부 장관과 검찰총장이 지휘하는 정치적 사건에 대한 수사가 공정할 것이라고 기대할 국민이 과연 얼마나 될까. 더욱이 윤석열은 '윤석열 사단'이라 불리는 측근들을 법무부와 검찰 고위직에 임명해 '검찰 직할 체제'를 갖췄다. 검찰에 관한 원칙을 정리한 유럽연합의 〈로마헌장〉 제6조에 따르면 "검사는 독립적이고 중립적이어야 하며 그렇게 보이기 위해서도 최선을 다해야 한다."[7] 윤석열 정권은 검찰이 국민의 눈에 어떻게 비칠지 전혀 신경 쓰지 않는다.

'촛불정부'를 자임한 문재인 정권이 검찰개혁에 실패한 것은 뼈아프다. 2016년 겨울, 박근혜 정권에 반대하는 촛불집회에서 많이 나온 구호 가운데 하나가 검찰개혁이었다. 검찰은 박근혜 정권이 벌인 국정농단의 예고편 격인 '정윤회 사건'과 이명박 전 대통령의 '다스 실소유주 의혹' 등 권력의 치부를 알아서 덮었다. '김학의 성접대 의혹' 등 비위 검사들에 대한 수사는 무디기만 했다. 반면 검찰이 겨냥한 표적은 그 주변까지 탈탈 터는 별건 수사를 통해 굴복시켰고, 이 과정에서 적잖은 사람이 극단적 선택을 했다. 시민들은 이렇듯 권력 눈치 보기와 조직 이기주의에 찌든 검찰을 촛불정부가 확 바꿔주기를 기대했다. 하지만 이런 바람은 문재인 전 대통령의 말처럼 "꿈같은 희망"*으로 끝나고 말았다.

한국 사회에서 검찰개혁의 당위성은 검찰 스스로도 부인하지 못할 정도로 폭넓은 공감대가 형성되어 있다. 이런 여론을 등에 업고 출발한 문재인 정권은 정작 검찰개혁 과정에서 그 진정성을 의심받았다. 정권 초기부터 일관되게 개혁을 추진하지 않고 '적폐청산'이라는 미명 아래 검찰의 권력 과잉을 못 본 체하다가 '조국 사태'라는 암초와 부딪히고 나서야 부랴부랴 개혁에 나선 것이다. 이는 정권에 '내로남불' 이미지를 씌웠을 뿐만 아니라, 개혁에 대한 검찰 내 기득권 세력의 반발을 '정당한 저항'으로 보이게끔 만들었다. 이 치명적 실책은 문재인 정권에는 (제도 개혁에 상당한 성과를 보였음에도) 끝내 검찰개혁에 실패한 또 하나의 정권이라는 꼬리표를, 한국 사회에는 '검찰정권'의 탄생이라는 불행을 안겼다.

증오를 정의로 착각하다

적폐청산은 문재인 정권 지지자와 반대자를 서로 증오하는 집단으로 갈라놓았다. 박근혜 탄핵 당시 환상적 공조로 민주주의의 새로운

---

* 2019년 10월 14일 당시 조국 법무부 장관의 사퇴를 두고 문재인 대통령이 청와대 수석·보좌관회의에서 남긴 발언이다. 문 대통령은 "국민들 사이에 많은 갈등을 야기한 점에 대해 매우 송구스럽게 생각한다. 저는 조국 법무부 장관과 윤석열 검찰총장의 환상적인 조합에 의한 검찰개혁을 희망했다. 꿈같은 희망이 되고 말았다"라고 했다.

가능성을 보여준 여야 정당과 정치인 역시 적폐청산을 거치며 적대 관계로 돌아섰다. 정당이 상대를 경쟁자로 인정하지 않고 적으로 간주할 때, 민주주의는 위기에 처한다.[2] 오로지 적을 이기기 위해, 정권을 잡기 위해 어떤 수단이든 동원하려는 유혹에 빠지기 때문이다. 타협과 소통이 사라진 민주주의의 미래는 뻔하다. 문 정권의 적폐청산은 극심한 정치적 갈등을 일으켰고, 기능이 마비된 국회는 개혁 과제를 제대로 이행하지 못했다. 정권을 내주는 것은 어찌 보면 당연한 수순이었다. 대선 패배의 원인을 두고 나온 "증오를 정의로 착각하는 중대한 실책을 저질렀다"*라는 진단은 그런 의미에서 정확했다.

더욱이 문재인 정권에겐 뼈아픈 반면교사가 있었다. 노무현 정권의 경험이다. 문재인은 당시 민정수석으로서 검찰개혁에 직접 관여했고, 실패했다. 대가는 컸다. 노골적 정치보복 수사로 노무현 대통령을 잃었다. 당시 경험은 검찰개혁을 추진하는 데 큰 보탬이 될 수 있었다. 실패한 원인을 냉정하게 분석하고, 정교하고 종합적인 로드맵을 설계할 수 있는 좋은 자산이었다. 하지만 문 정권은 실패에서 교훈을 얻지 못했다. 가장 큰 패착은 국민의 신뢰를 잃은 것이다. 일찍이 노무현 정권의 실패를 두고 "모든 개혁에는 국민의 지지가 필

---

*   "문재인 시대에 들어 노무현의 원수를 갚는다는 미명 아래 '증오의 대오'를 '정의의 대오'로 착각하는 중대한 실책을 저질렀다." 더불어민주당 김두관 의원의 2022년 3월 12일 페이스북 게시물.

수적이다. 특히 검찰과 같은 어려운 개혁 과제는 국민의 지지가 없으면 이루어질 수 없다"[3]라고 복기한 문재인이기에 두 번째 실패는 더욱 뼈저리다.

문재인은 자신의 참모인 추미애 법무부 장관이 검찰개혁을 명분으로 윤석열 검찰총장과 충돌하는 과정에서 민심을 잃고 말았다. 당시 한국갤럽의 여론조사 추이는 이를 정확하게 보여준다. 2020년 11월 중반까지 대통령 직무수행 평가는 긍정과 부정이 엇비슷한 상태를 유지했다. 부동산 폭등과 '조국 사태' 등으로 부정 평가가 긍정 평가를 앞선 때가 있었지만 격차는 크지 않았고, 곧바로 회복되었다. 하지만 11월 24일 추미애 장관이 헌정 사상 처음으로 검찰총장 징계 청구와 직무배제 명령을 내린 이후 부정 평가(48%)가 긍정 평가(40%)를 훌쩍 앞지르게 된다. 이후 추미애가 소집한 징계위원회가 정족수 미달 등 각종 위법성 논란을 일으키자 부정 평가는 50%를 넘었다. 이런 수치는 조국 사태 이후 처음이었다. 법원이 12월 24일 윤석열이 낸 가처분 소송에서 징계효력 정지를 결정할 때는 부정(52%)-긍정(40%) 평가의 격차가 10%포인트 이상 벌어졌다.

추미애의 강공은 정권교체 여론도 키웠다. 부동산 문제가 불거진 2020년 8월을 제외하면 이전까지 늘 '정권유지' 여론이 '정권교체' 여론보다 우위에 있었다. 그러나 검찰총장 징계 청구를 계기로 정권교체 지지(44%)가 정권유지 지지(41%)를 앞질렀고, 이 구도는 이듬해 3월 20대 대통령선거 때까지 유지되었다.

민심은 정권에 민생을 챙길 것을 강력히 요구하고 있었다. '추미애-윤석열 충돌' 기간 문 대통령의 직무수행 평가는 부정 52%~55% 긍정 30%~40%로, 그 격차가 15%포인트 안팎에 이르렀다. 부정 평가의 가장 큰 이유는 부동산 정책(29%)이었고, 코로나19 대처 미흡(11%)과 경제·민생 문제 해결 부족(10%)이 뒤를 이었다. 문재인 정권 내내 서울의 아파트 값은 하늘 높은 줄 모르고 올랐다. '부동산114'의 자료에 따르면 참여정부 시기인 2003년 3월 아파트 매매시세를 기준(100)으로 할 때 이명박-박근혜 정권기 매매시세 지수는 150에서 200 사이를 오갔다. 하지만 문 정권이 들어서자마자 이 지수는 200을 돌파했고, 2020년 9월에는 350에 육박했다.[4] 요컨대 문 정권이 검찰개혁에 '올인'하는 시기에 시민들은 부동산 가격 폭등에 신음하고 있었다. 이들에게 검찰개혁은, 민생을 등한시하는 오만한 정권이 자신의 실정에 대한 희생양을 찾으려는 꼼수에 불과했다.

정치검찰에서
검찰정치로

검찰개혁은 민주주의가 성숙하는 과정에서 필연적으로 요구되는 과제다. 검찰, 특히 대한민국 검찰은 자유를 비롯한 국민의 기본권에 영향을 미치는 권력기관 가운데서도 가장 막강한 기관이다. 기소 독점권과 (경찰) 수사지휘권, 그리고 몇몇 중대범죄에 대한 독자적 수사권까지 형사 사건 전반을 관장하는 권한을 가졌기 때문이다. 검찰의 힘은 수사와 기소의 결합에서 나온다. 범죄 인지부터 수사 착수와 전개, 영장 청구, 기소 여부(수사 종결) 결정, 재판 관여까지 모두가 검사의 권한이다. 권한의 집중은 늘 남용과 오용의 위험을 내포하지만, 이를 검증하고 견제할 장치는 사법부 말고는 사실상 없다. 검찰의 권력이 지나치게 비대한 탓에 현실에서는 사법부의 견제 기능조차 제대로 작동하지 않는 경우가 많다.

과거 군부독재와 권위주의 정권 시절 검찰은 국민을 탄압하는 데 권한을 남용했다. 이 시기 검찰은 권위주의 체제 수호의 첨병이었다. 정보기관(중정-안기부)과 경찰, 방첩부대(보안사·기무사) 등 다른 사정기관과 협업해 무고한 시민을 좌경·용공·불순분자로 몰아 처벌했다. 군부독재 시절엔 경찰과 정보기관이 고문 등으로 사건을 조작하면 검찰은 이를 합법화하는 역할을 주로 했지만, 민주화가 진행된 1990년대 이후에는 검찰이 직접 주연으로 나서게 된다. 이른바 '정치검찰'의 등장이다. 검찰 조직 혹은 수뇌부의 정파적 행태를 일컫는 이 표현은 살아 있는 권력에 복종하고 죽은 권력에 무자비함으로써 기득권을 유지하는 검찰의 유구한 생리를 꿰뚫는 말이기도 하다.

민주주의가 발전하고 인권 의식이 사회 전반에 퍼지면서 검찰의

'정치적 중립'을 요구하는 여론이 높아지자, 정치검찰은 이를 자신의 기득권을 지키는 데 활용했다. 정치적 중립의 전제는 '정치적 독립'이라는 그럴듯한 논리를 내세웠다. 물론 자신의 기득권은 포기하지 않은 채 선출된 권력의 민주적 통제를 거부하려는 의도가 숨어있었다. 이는 검찰이 자신에게 역대 가장 높은 수준의 정치적 독립과 자율성을 부여한 노무현 정권의 검찰개혁에 강하게 저항한 데서 드라마틱하게 드러난다. 이후 검찰의 기득권을 해체하려는 시도가 없었던 이명박·박근혜 정권에서 살아 있는 권력에 고분고분한 정치검찰로 돌아가는 모습을 보면서, 시민들은 앞서 검찰의 정치적 독립 요구에 과연 진정성이 있는 것인지 의문을 품게 되었다. 정치검찰 타파가 검찰개혁의 핵심으로 떠오른 것이다.

검찰을 정치에 이용하려는 정권에서 정치검찰과 '법 기술자'가 득세한다. 따라서 검찰을 개혁하려면 이 은밀한 고리를 먼저 끊어야 한다. 국정과제에 검찰을 동원하는 짓은 이 고리를 더욱 단단하게 만든다. 검찰을 정치의 '주전장主戰場'으로 끌어들일수록 검찰의 힘은 커지고 개혁은 그만큼 멀어진다. 문재인 정권의 검찰개혁은 적폐청산에 '윤석열 사단'을 동원하는 순간부터 실패가 예정된 것이다. 윤 사단이 '적폐 수사'에 동원한 수사 방식─'유죄추정'과 피의사실 공표, 무분별한 압수수색 등─이야말로 검찰의 대표적 적폐이자 개혁대상이다. 그럼에도 문 정권은 정적을 제거해주는 '칼맛'에 취해 윤 사단에 힘을 몰아주었다. 이에 한국 현대사에서 가장 막강한 권력기관으로 거듭난 윤석열 검찰은 정치검찰에 만족하지 않고 정국을 직접 주도하는 '검찰정치'로 나아갔다.

검찰개혁의 실패는 '검찰국가'라는 후폭풍을 몰고 왔다. 윤석열 대통령은 정권 출범과 동시에 최측근인 한동훈을 법무부 장관에 임명한 것을 시작으로 대통령실과 정부 요직에 검찰 출신을 대거 기용했다. 최고 사정기관인 검찰을 윤석열 사단이 장악한 것은 말할 것도 없다. 권력기관의 핵심 포스트에서 대통령의 뜻을 일사불란하게 집행할 체제를 완성한 것이다. 그 결과는 우리가 지금 눈으로 확인하듯 '정치의 실종'이다.

민주국가에서 정치는 시민사회-여야 정당-정부가 대등하게 소통할 때 제대로 작동한다. 하지만 윤석열 정권이 지금까지 보여준 것은 의사전달이 한쪽으로만 흐르는 '상명하달'의 정치다. 검찰 조사실에서 이뤄지는 피의자 신문처럼 일방적이고 권위적이다. '검찰 DNA'에 기반한 정치는 다양성을 존중하고 약자를 배려하는 시대적 흐름과 충돌할 수밖에 없다. 그로 인한 피해는 오롯이 국민의 몫이다. 5년여 전 차가운 아스팔트 위에서 촛불을 밝혔던 대가가 검찰국가일 수는 없다. 원래의 목적지를 향해 다시 길을 나서야 한다. 어디서부터 길을 잘못 들었는지 되짚어보고, 거기서부터 시작해야 한다.

1

사람이
문제다

2019년 7월
검찰총장 임명식에서 마주한
문재인과 윤석열.

현직 대통령이 개혁의 적임자라며
발탁한 검찰의 수장은
정작 그 개혁에 온몸으로
저항했고,
이를 정치적 밑천으로 삼아
다음 대통령이 되었다.

1

이보다 더
나쁠 순 없다

서울중앙지방법원과 서울중앙지방검찰청 정문이 서로 마주 보는 도로의 행정구역상 명칭은 '법원로'다. 이곳에 법정에 출석하는 피고인을 응원하는 사람들이 종종 모인다. 법원로에서 울려퍼지는 이름은 대개 정권의 부침과 관련이 있다. 문재인 정권이 출범한 2017년에는 박근혜 전 대통령을 응원하는 '태극기 부대'가 이곳을 점령하다시피 했다. 국정농단 사건 재판의 '피고인 박근혜'를 응원하는 동시에 문재인 정권을 비난하는 시위 장소로 활용한 것이다.

윤석열 정권이 들어선 2022년의 법원로는 조국 전 법무부 장관을 위한 무대로 기억될 것이다. 그의 재판이 열리는 매주 금요일 아침이면 '그대가 조국*'이라고 적힌 플래카드를 든 사람들이 삼삼오오 이곳에 모인다. 이들의 가슴에는 플래카드와 같은 문구가 적힌

배지가 달려 있다. 마치 오랫동안 알고 지낸 듯 친근하게 서로의 안부를 묻고 음료를 건네기도 한다. 이들의 밝고 여유로운 표정은 피고인이 법원에 도착할 즈음 서서히 긴장감으로 물든다. 마침내 조국이 모습을 드러내면 누가 먼저라고 할 것 없이 구호를 외치기 시작한다. "조국은 무죄다!" "힘내라, 조국!" 이들에게 재판이 어떻게 진행되고 있는지는 중요해 보이지 않는다. 이미 각자의 판단에 따라 자신만의 '판결'을 내린 듯 오롯이 조국을 응원하는 데만 집중한다.

조국의 자기 예언

문재인 정권이 출범하기 전 조국은 2022년의 법원로에서보다 훨씬 많은 사람의 지지를 받았다. 그는 당대 진보진영의 지식인 가운데 가장 빛나는 스타였다. 출중한 외모와 학벌, 지성과 언변을 모두 갖추었음에도 제도 정치권과 거리를 두던 그를 권부의 핵심으로 소환한 것은 문 정권이 추진한 검찰개혁이었다. 문재인은 스스로 가장 중요한 공약으로 꼽은 검찰개혁을 위해 조국을 선택했다. 확고한 신념과 이론으로 무장한 데다 대중성까지 갖춘 조국은 더할나위 없는

---

*   조국 전 장관과 그 가족에 대한 검찰 수사 과정을 기록한 다큐멘터리 영화 제목. 세월호 사건을 다룬 〈부재의 기억〉(2018)으로 아카데미상 다큐멘터리 부문 후보에 오른 이승준 감독이 연출을 맡았으며 2022년 5월 제23회 전주국제영화제에서 공개되었다.

개혁의 적임자로 보였다. 그러나 그가 주도한 검찰개혁은 좌초했고, 그 여파는 대선 패배로 이어진다. 촛불 시민의 전폭적 지지로 출범한 정권이 불과 5년 만에 자신들이 임명한 검찰총장 출신 초보 정치인에게 권력을 빼앗기는 수모를 당한 것이다.

조국에게 닥친 시련은 더욱 혹독했다. 그의 가족은 검찰 수사로 사실상 멸문지화를 당했다. 그는 2022년 4월 딸이 '허위 스펙'을 이유로 부산대 의학전문대학원과 고려대에서 입학 취소되자 자신의 페이스북에 "아비로서, 송곳으로 심장을 찌르고 채칼로 살갗을 벗겨내는 것 같은 고통을 느낀다"라고 토로했다. 자녀 입시비리와 사모펀드 비리, 증거인멸 등으로 기소된 부인 정경심 전 동양대 교수는 징역 4년을 선고받고 영어의 몸이 되었다. 가업(운동학원)을 이은 동생도 이와 관련한 비리 혐의로 재판에 넘겨져 징역 3년이 확정되었다. 조국은 자신이 검찰개혁을 추진한 탓에 가족이 무간지옥無間地獄의 고통을 겪고 있다고 여긴다.[1]

조국은 오래전부터 검찰개혁을 추진하는 대가가 혹독하리라는 걸 잘 알고 있었다. 10여 년 전 이에 대한 '공개 예언'을 남긴 적도 있다. 2011년 12월 7일 당시 노무현재단 이사장 문재인과 함께 검찰개혁을 주제로 한 토크콘서트 무대에 오른 조국은 "검찰개혁을 추진하는 법무부 장관은 검찰에서 표적수사를 할 가능성이 매우 높다. 따라서 검찰이 뒤를 파도 문제가 없을 깨끗한 사람이 필요하다"라고 말했다.[2] 하지만 그 예언의 대상이 자신이 될 것이라고는 미처

내다보지 못했던 것 같다. 10년 뒤 법무부 장관으로 지명되었을 때 조국은 "뒤를 파도 문제가 없을 깨끗한 사람"과는 거리가 멀었다. 문재인이 그날 대통령이 되면 검찰개혁을 맡길 것이라는 '힌트'를 줬지만,[*] 그는 준비가 전혀 되어 있지 않았다. 조국은 임명된 후 '내로남불' 논란으로 여론의 사퇴 압력이 커지자 35일 만에 스스로 장관직을 그만둬야 했다.

잃어버린 시간, 거꾸로 가는 방향

조국은 2011년 당시 '깨끗한 법무부 장관' 말고도 검찰개혁의 성공 조건을 다음과 같이 강조했다. "검찰과 손잡지 않고, 검찰을 이용하지 않겠다는 이념을 가진 깨끗한 정권이어야 한다. 그리고 정권 초반에 바로 검찰개혁을 진행해야 한다. 정권 후반이 되면 검찰은 그 다음 정권에 줄을 서게 될 것이기 때문에 정권 초반에 진보적이고 개혁 의지가 강한 인물들이 집단으로 법무부에 들어가서 검찰을 개

---

[*]   2011년 12월 7일 열린 토크콘서트는 《문재인·김인회의 검찰을 생각한다》(이하 《검찰을 생각한다》) 출판기념회 성격의 행사였다. 문재인은 당시 사회를 맡은 조국이 "대통령이 되면 누굴 법무부 장관으로 임명하실 것인가"라고 묻자 즉답을 피한 뒤 방청석을 향해 "여러분, 우리 조국 교수님은 어떠시냐?"라고 물었다. 방청석에서는 "와!" 하는 함성이 터져 나왔다. 조국은 "제가 자리 욕심부리는 게 딱 하나 있는데, 바로 롯데 자이언츠 야구단 구단주"라는 농담으로 넘어갔다.

혁해야 한다."³ 안타깝게도 그로부터 6년 뒤 문재인의 신임 아래 그
가 주도한 검찰개혁은 이와 정반대로 진행되었다.

먼저 '적폐청산 수사'에 올인하느라 '정권 초반'이라는 최적의 타
이밍을 놓쳤다. 문재인 정권이 핵심 국정과제로 삼은 적폐청산은 개
인에 대한 강제적 조사와 처벌의 형태로 진행되었다. 제아무리 "검
찰을 이용하지 않겠다는 이념"을 가진 정권이라도 이 방식은 검찰
과 손을 잡지 않으면 불가능하다. 윤석열이 지휘하는 검찰은 박근혜
에 이어 친노(노무현 전 대통령의 측근들) 그룹의 숙원인 이명박 전 대
통령 구속·처벌에 성공했다. 이렇듯 적폐 수사가 성과를 내자 문 정
권은 윤석열을 전폭적으로 지원했다.

조국은 개혁의 타이밍만 놓친 게 아니었다. 검찰의 힘도 '역대급'
으로 키워줬다. 검찰개혁은 곧 검찰의 파워를 줄이는 일인데 오히
려 거꾸로 간 것이다. 검찰개혁이 "학자로서 오랜 소신"이던 조국은
과도한 검찰의 힘은 '직접 수사'에서 나온다는 사실을 잘 알고 있었
다. 하지만 청와대 민정수석 시절 조국은 윤석열의 요구대로 직접
수사를 전담하는 특수부 확대를 수용했다. 그 결과 서울중앙지검
특수부 검사는 두 배 가까이 증가했다. 박근혜 정부 말기인 2016년
8월 23명이던 특수부 검사가 2년 만인 2018년 8월 43명으로 늘어
난 것이다.⁴

조국은 2018년 1월 검찰개혁 방안을 직접 설명하는 자리에서
특수부 축소를 추진하지 않는 이유에 대해, "이미 검찰이 잘하고 있

는 특수수사 등에 한하여 검찰의 직접 수사를 인정하는 것"이 검찰 개혁의 하나라는 취지로 말했다. 당시 '검찰이 잘하고 있는' 수사는 적폐 수사였다. 따라서 그런 특수부를 축소하지 않는 게 검찰개혁 이라는 뜻이었다. 그러나 특수부 규모를 늘릴수록 검찰은 힘을 더욱 키우게 되고 개혁은 그만큼 힘들어진다. 정권 후반기에 접어든 2019년 9월, 뒤늦게 제대로 된 검찰개혁을 추진하겠다며 법무부 장관에 오른 조국이 어찌지 못할 만큼 '윤석열 검찰'의 힘은 막강해져 있었다.

팽당한 사람들

'검찰개혁 의지가 강한 인물들'을 발탁해야 한다는 조언도 지켜지지 않았다. 노무현 정권 때 검찰개혁 작업에 참여했고, 문재인의 대선 공약을 함께 준비한 전문가들은 청와대나 법무부에 입성하지 못했다. 문재인 후보의 대선 싱크탱크인 '정책공간 국민성장'*에 참여한 법학 교수와 법조인 그룹이 대표적이다. 노무현 정권 시절 천정

---

* 문재인 캠프를 돕기 위해 진보·중도 성향의 학자·지식인이 참여한 싱크탱크로 2016년 10월 출범했다. 500명으로 시작해 대선이 본격화한 후 1000명에 가까운 인사가 참여할 정도로 세를 불렸다. 소장은 노무현 대통령 경제보좌관을 지낸 조윤제 서강대 교수가, 부소장은 조대엽 고려대 노동대학원장이 맡았다. 7개 위원회, 11개 추진단, 연구위원회 등으로 구성되었고, 위원회별로 정책을 연구해 대선 캠프의 공약으로 제안하는 역할을 했다.

배 법무부 장관의 정책보좌관을 지낸 김남준 변호사가 단장을 맡고 15명의 학자와 변호사들이 참여한 국민성장 반특권검찰개혁추진단은 2016년 9월 말부터 매주 1~2회 만나 치열한 토론을 거쳐 그해 연말 검찰개혁의 마스터플랜을 짰다.

추진단은 수사와 기소를 완전히 분리하고 중대범죄 수사를 전담하는 국가수사청을 설치하는 방안을 1안으로, 수사와 기소를 부분적으로 분리하는 수사권 조정 방식을 2안으로 하는 내용의 정책 제안서를 작성했다. 1안은 문재인 정권 말기인 2022년 5월 3일 민주당 주도로 국회를 통과한 형사소송법 개정안의 주요 내용과 똑같다. 국가수사청의 이름이 중대범죄수사청으로 바뀌었을 뿐이다. 하지만 당시만 해도 문재인 캠프는 1안의 핵심인 수사-기소 완전 분리 방안에 대해 '현실성이 떨어진다'는 이유로 부정적인 반응을 보였다.

그 여파인지는 모르겠으나, 추진단 멤버 중 누구도 정권 출범 후 검찰개혁 과정에서 이렇다 할 역할을 맡지 못했다. 단장인 김남준이 법무부 장관의 자문기구인 검찰개혁위원회 2기 위원장을 맡았을 뿐이었다. 검찰개혁위원회는 장관에게 개혁 방안을 권고할 뿐 집행력은 없는 기구다. 전문가들은 문재인 캠프에 새 정부 출범과 동시에 청와대에 검찰개혁을 추진하는 컨트롤타워를 만들고 개혁의 로드맵을 제시하라고 조언했다. 하지만 어찌된 일인지 문재인 정권은 청와대 컨트롤타워는커녕 검찰개혁을 주도할 참모 그룹조차 제대

로 구성하지 않았다.[*]

청와대의 트로이 목마들

정작 청와대에 입성한 것은 개혁에 걸림돌이 될 인사들이다. 민정수석실의 박형철 반부패비서관과 이인걸 선임행정관이 대표적이다. 검찰 출신인 이들은 검찰개혁에 적극적일 리가 없는데도 다른 전문가들을 제치고 발탁된 것이다. 박형철은 '윤석열 사단'의 핵심 멤버로, 윤석열과는 '생사고락'을 함께 한 사이다. 공안검사 출신인 그는 윤석열과 함께 2013년 국정원 댓글 사건 수사에 참여한 것을 계기로 그의 측근이 되었다. 수사 당시 부팀장을 맡았던 박형철은 상부에 보고 없이 국정원 직원을 체포했다는 이유로 팀장 윤석열과 함께 법무부 징계위에 회부돼 감봉 1개월의 징계를 받고 대전고검으로 좌천되었다.

2016년 사표를 내고 변호사로 활동하던 박형철은 문재인 정권 출범 4일째인 2017년 5월 12일 청와대에 들어왔다. 당시 청와대는 그를 "검찰 재직시 '면도날 수사'로 정평이 났으며 2012년 국정원 대선개입 사건을 수사하며 윤석열 대전고검 검사와 함께 권력의 외

---

[*]　문재인 정권의 1기 민정수석실 진용은 조국 수석비서관, 백원우 민정비서관, 박형철 반부패비서관, 김종호 공직기강비서관, 김형연 법무비서관으로 구성되었다.

압에 흔들리지 않고 꼿꼿하게 수사를 진행한 것으로 알려졌다"라고 소개했다.[5] 그로부터 일주일 뒤 윤석열이 대전고검 검사에서 서울중앙지검장으로 화려하게 컴백했다. 박형철은 당시 윤영찬 국민소통수석이 브리핑한 윤 지검장의 프로필을 직접 썼다. 그는 이때의 소감을 "짜릿했다"라고 지인들에게 밝혔다.

검찰 사정을 잘 모르는 조국은 박형철과 민정수석실의 모든 업무를 상의했는데, 이것이 조국의 발목을 잡게 된다. 조국이 유재수 전 금융위 금융정책국장에 대한 감찰을 중단시킨 사건과 관련해 검찰 수사를 받을 때 박형철이 그에게 불리한 진술을 한 것이다. 박형철은 검찰에 참고인으로 출석할 때 청와대에 이 사실을 알리지 않았고, 조사를 마친 뒤에는 곧바로 휴가를 냈다. 청와대는 그의 검찰 소환과 진술 내용을 언론 보도로 알게 되었다. 조국을 비롯한 청와대 참모진은 '믿었던 도끼'에 제대로 발등을 찍힌 셈이다.

역시 공안검사 출신인 이인걸은 박근혜 정부 때 법무부 '위헌 정당·단체 관련 대책 TF'에 파견돼 통합진보당 해산 작업에 참여했다. 검찰을 떠나 김앤장에 입사한 뒤에는 가습기 살균제 제조업체인 홈플러스의 변호인을 맡았고, 박근혜-최순실 국정농단 사건에 연루된 롯데그룹 소진세 사장의 변호인을 맡기도 했다. 이런 경력은 '촛불정부'를 자임한 문재인 정권의 철학과 명백하게 충돌하는 것이었다. 가습기 살균제 피해자 유가족들은 "가습기 살균제 제조업체를 대리했던 변호사가 이 사건의 진상을 규명해야 할 검찰을 총괄하는 민정수석실에 근무하는 것은 이해충돌 방지는 물론 국민적 상식에 어긋난다"라고 맹비난했다. 정의당은 그의 교체를 강력하게 요구했다. 하지만 청와대는 이를 무시하다가 1년 7개월 뒤 '청와대 특감반 사태'*가 터지고 나서야 그를 정리한다. 이인걸도 '유재수 감찰 무마 의혹' 수사에서 조국에게 불리한 진술을 남겼다.

'소윤'이라 불린 윤대진

조국의 발등을 찍은 이는 박형철과 이인걸뿐만 아니었다. 윤석열 사단의 좌장으로 '대윤(윤석열)과 소윤(윤대진)'**이라 불리던 윤대진 전 법무부 검찰국장은 조국의 마음을 더 아프게 했다. 윤대진은 문재인 정권에서 윤석열이 검찰총장까지 오르는 데 일등공신이었다. 대학 시절 운동권에 속했던 그는 서울대 법대 선배인 조국은 물론 김경

---

* 2018년 11월 청와대 특별감찰반에서 일했던 김태우 수사관이 문재인 정권의 민간인 사찰 의혹 등을 폭로하면서 정치적 쟁점이 된 사건이다. 김 수사관은 비위 혐의로 청와대 감찰을 받고 검찰로 복귀한 뒤 특감반에서 활동할 때 보고 들은 내용을 언론에 폭로했다. '환경부 블랙리스트 사건'이 대표적이다. 김 수사관은 윤석열 정권 출범 후인 2022년 6·1 지방선거에 국민의힘 후보로 출마해 서울 강서구청장에 당선되었다.

** 윤대진의 친형인 윤우진 전 용산세무서장 역시 윤석열과 친분이 있었다. 윤우진은 2021년 12월 뇌물 등의 혐의로 구속기소되었는데, 2019년 7월 검찰총장 인사청문회에서 윤석열이 윤우진에게 변호사를 소개해준 사실을 기자에게 밝힌 녹취록이 공개되었다. 윤석열은 앞서 이를 부인했기 때문에 위증 및 변호사법 위반 논란이 일기도 했다.

수 전 경남지사 등 친노·친문 인사들과 안면이 있었다. 이러한 인연으로 노무현 정권 초기인 2003년 청와대 특별감찰반장을 지내기도 했다. 조국을 비롯한 친문들은 검찰과 관련된 일들을 윤대진과 상의했다.

하지만 윤대진은 검찰국장으로 있는 동안 법무부 장관 박상기가 아닌 윤석열의 참모 역할을 했다. 그는 '조국 민정수석-윤석열 서울중앙지검장'의 가교였는데, 실제로는 민정수석실 비서관 박형철과 함께 윤석열의 뜻대로 검찰 인사가 이뤄지도록 애를 썼다. 조국은 '윤대진-박형철' 라인에 포획된 셈이다. 그 폐해는 컸다. 윤석열은 서울중앙지검장 시절 1·2·3차장을 모두 자신의 측근으로 채웠다. 인사제청권자인 박상기는 물론 자신의 상관인 문무일 검찰총장도 안중에 없었다.

조국은 그런 윤석열에게 힘을 실어줬다. 그만큼 윤대진과 박형철의 말발이 잘 먹힌 것이다. 이들의 활약은 검찰총장 인사 때 더욱 빛을 발했다. 무엇보다 민주당 내부의 윤석열 총장 반대 기류가 여권 전체로 확산되는 걸 막는 데 큰 역할을 했다. 이런 이유로 검찰이 조국 일가를 겨냥할 때 청와대 참모와 친문 인사들은 윤석열보다 윤대진에게 더 큰 배신감을 가졌다. 2020년 1월, 조국에 이어 법무부 장관이 된 추미애가 취임 후 첫 검찰 인사에서 윤대진을 한직인 사법연수원 부원장으로 좌천시킨 배경이다.

윤대진에 대한 청와대 참모들의 배신감은 '김학의 전 법무부 차관 출국금지 사건'에서 절정에 달했다. 문재인 정권 출범 후 검찰의 '역대급 제 식구 감싸기' 사례인 김학의 성접대 의혹을 재수사하라 는 여론이 들끓었다. 이 와중에 김학의가 2019년 3월 22일 한밤중 에 태국으로 출국을 시도하자 당시 검찰과거사진상조사단 소속 이 규원 검사는 법무부 출입국본부에 긴급출국금지를 요청해 출국을 막았다. 이 과정에서 형사입건이 안 된 김학의를 출금한 것을 두고 불법 논란이 일었다. 검찰은 문 정권 말기인 2021년 7월 '김학의 출 금'이 불법이었다고 결론 내리고 이규원과 이광철 당시 청와대 민 정비서관, 차규근 출입국본부장을 직권남용 등의 혐의로 기소했다. 이규원 등은 당시 검찰국장인 윤대진을 통해 대검의 승인을 받아 이뤄진 합법적 출금이었다고 반박했지만, 검찰은 윤대진은 제외한 채 이들만 재판에 넘겼다.

윤대진은 2022년 9월 재판에 증인으로 출석해 자신이 대검에 연 락해 김학의 출금과 관련된 승인을 받아낸 사실이 없다고 증언했 다. 그는 법무부에서 검찰 관련 업무를 총괄하는 검찰국장이었으면 서도 "검찰과거사진상조사단과 관련된 업무는 일체 개입한 적이 없 다"라고 주장했다. 하지만 그의 증언은 금세 반박된다. 일주일 뒤 증 인으로 나온 이용구 당시 법무부 법무실장은 "당시 윤대진에게 전 화를 걸어 '김학의 출국을 막기 위해 대검의 승인을 받아달라'고 요 청했다"라며 "윤대진은 '알았다'고 대답했고, 곧이어 윤대진이 내게 전화해서 '대검에 연락해서 김학의를 출금하기로 했다. 문제가 다

해결되었다'고 말했다"라고 증언했다. 이용구는 또 '윤대진이 자신의 역할을 무용담처럼 말하며 자랑했다던데, 들었나?'라고 변호인이 묻자, "월요일 간부회의 때 (윤대진이) 무용담을 얘기했다. 각자 위치에서 소임을 다한 것인데 어떤 사람은 겸손을 떠는 사람이 있고, 어떤 사람은 굉장히 과장하는 사람도 있는데, 윤대진은 좀 무용담을 과장하는 편이었다고 이해하면 될 것 같다"라고 증언했다.

윤대진과 박형철은 윤석열 사단의 약진을 이끌었다. 2019년 7월 윤석열의 검찰총장 취임 이후 단행된 검찰 고위간부 인사가 절정이었다. 이때는 박상기 법무부 장관의 경질이 예정된 시기로, 윤석열의 뜻은 거의 그대로 인사에 관철되었다. 당시 검찰국장에서 수원지검장으로 전보된 윤대진은 자신이 관여한 검사장 인사안을 밀봉해놓고 수원으로 떠났다. 윤 사단을 대거 요직에 임명한 인사안을 후임자인 이성윤이 바꾸지 못하도록 하려는 의도였다. 그 결과 '적폐수사'에서 윤석열과 호흡을 맞춘 이들이 요직을 휩쓸었다. 검사장 승진과 동시에 윤석열의 직속 참모가 된 한동훈 대검 반부패강력부장(옛 대검 중수부장)과 박찬호 대검 공공수사부장 등이 대표적이다. 이어진 중간간부 인사에서도 윤 사단이 서울중앙지검 1·2·3차장 등 주요 보직을 독식했다.

이 가운데 3차장 송경호(윤석열 정권 출범 후 서울중앙지검장으로 승진)는 검찰의 '적폐'에 해당하는 '광우병 PD수첩 사건'의 주임검사였다.[6] 2008년 미국산 쇠고기 수입 반대 촛불시위 당시 《MBC PD수첩》이 보도한 〈미국산 쇠고기, 과연 광우병에서 안전한가〉에 대한 수사에서 송경호는 프로그램 제작진을 기소하는 데 중추 역할을 했다. 애초 이 사건을 맡은 임수빈 당시 형사2부장은 법무부와 검찰 수뇌부의 기소 지시를 거부하고 사표를 던졌다. 새로 구성된 수사팀의 중심인 송경호는 4개월 동안의 강도 높은 조사 끝에 2009년 6월 조능희 책임 피디 등 제작진 5명을 불구속 기소했다. 결과는 1심과 2심에 이어 대법원까지 전부 무죄가 선고되었다. 검찰의 기소가 이명박 정권의 입맛에 맞춘 정치적 행보라는 비판이 쏟아졌지만, 송경호는 대법원 확정 판결 뒤 열린 무죄평정위원회에 수사팀 대표로 참석해 "잘못된 기소가 아니었다. 법원이 오판한 것"이라고 당당히 항변한 것으로 전해진다. 이런 전력은 이미 언론 보도를 통해 널리 알려졌지만, 조국의 민정수석실은 검찰 인사에서 송경호를 걸러내지 못했다. 그는 문재인 정권 출범 후 서울중앙지검 특수2부장으로 적폐수사에 참여해 이명박을 구속했고, 3차장 시절에는 '조국 일가 수사' 실무를 총괄한다.

박상기,
영혼 없는 법무부 장관

청와대 민정수석실 인사보다 더 큰 실책은 첫 법무부 장관 인사였다. 개혁 대상인 검찰을 직접 상대한다는 점에서 법무부 장관은 민정수석 이상으로 중요한 자리다. 검찰개혁에 대한 확고한 철학과 의지, 그리고 검찰의 반발을 제압할 수 있는 뚝심까지 두루 갖춰야 한다. 문재인 대통령은 참여정부 때 국가인권위원장을 지낸 안경환 교수를 초대 법무부 장관에 기용해 조국과 함께 검찰개혁의 투톱 체제를 꾸리려고 했다. 안 교수는 학계에서 검찰개혁 관련 이론에 해박한 인물로 꼽힌다. 그는 조국의 대학 은사로 손발을 맞추는 데도 문제가 없었다. 하지만 '과거사'가 그의 발목을 잡았다. 강제 혼인신고, 아들 퇴학처분 취소 압력 의혹, 여성비하 발언, 재벌옹호 논란 등 여러 결격사유가 드러나면서 야당은 물론 시민사회단체로부터 사퇴 압력을 받았다. 결국 안경환은 인사청문회에 서보지도 못하고 낙마했다.

청와대가 플랜B로 지명한 이는 박상기 연세대 법학전문대학원 교수였다. 그는 대선 직후 자신이 대표로 있던 경제정의실천시민연합 홈페이지에 검찰개혁을 강하게 촉구하는 칼럼을 게재하는 등7 '검찰개혁 적임자'로 알려진 인물이지만 실상은 달랐다. 특히 검찰개혁 관련 전문가 집단에선 그의 개혁성에 의문을 표하는 이들이 많았다.

박상기는 노무현 정권 때 사법제도개혁추진위원회(사개추위)*에

---

* 대법원 산하 사법개혁위원회의 건의로 설치·활동한 대통령 자문 기구(2005년 1월~2006년 12월). 법학전문대학원 도입, 국민의 형사재판 참여제도 및 집단소송제도 도입, 노동분쟁 해결 제도의 개선 등을 제안했고 일정 부분 현실화되었다.

참여한 경력을 내세웠지만, 정작 그 위원회에 참여한 이들은 그가 검찰개혁에 미온적이었다고 평가한다. 실제로 박상기는 2005년 사개추위에서 검사가 작성한 피의자신문조서의 증거능력을 제한하는 방안을 추진할 때 오락가락하는 태도를 보였다.[8] 여지껏 검사 작성 조서는 별다른 근거도 없이 경찰관의 조서보다 우월한 증거능력이 인정돼 재판 결과에 큰 영향을 미치고 있었고, 이것이 검찰 수사에서 피의자가 자백을 강요당하는 원인으로 지목되었다. 이런 관행은 선진국에서는 찾아보기 어려운 것으로, 한국의 형사재판이 '조서재판'이라고 조롱받는 이유이기도 했다. 따라서 재판 과정에서 피의자나 변호인이 동의하지 않으면 검찰 조서의 증거능력을 인정하지 않는 방안이 검찰개혁 차원에서 추진되고 있었다.

이러한 사실이 알려지자 검사들은 일선 검찰청 중심으로 평검사 회의를 개최하는 등 강하게 반발했다. 이들의 저항은 경찰과 동급으로 취급되는 것을 못마땅해하는 오만의 발로였지만, 부담을 느낀 사개추위는 안건을 본위원회가 아닌 실무위원회에 떠넘겼다. 실무위원회는 법원과 검찰을 각각 대표하는 2명, 학계 2명, 변호사 1명 등 5인으로 소위를 구성해 이 사안을 처리하기로 했다. 당시 법원 대표는 검찰의 반발을 의식한 탓인지 애초 입장을 바꿔 검찰 조서의 차별성을 인정하는 쪽으로 한발 물러섰다. 그런데 이때 학계 인사로 참여한 박상기가 덜컥 법원 의견에 동조하는 입장을 취한 것이다. 결국 이 안건은 5인 소위에서 3 대 2로 부결되며 없던 일이 되어버렸다. 검사 작성 조서의 증거능력 제한은 훗날 문재인 정권에서 형사소송법 개정을 통해 도입돼 2022년 1월 1일부터 시행되었다. 검찰개혁의 주요 방안 하나가 박상기의 오락가락한 행보로 17년이나 늦게 제도화된 것이다.

박상기는 장관에 임명된 뒤에도 검찰개혁과 관련해 검찰 쪽 말을 잘 들었다. 그는 정권 초 법무부 장관 자문기구인 법무·검찰개혁위원회가 제안한 고위공직자범죄수사처(공수처)의 규모를 대폭 축소했다. 검찰의 의견을 받아들인 결과였다. 민간 전문가들로 구성된 법무·검찰개혁위원회는 공수처가 제 기능을 하려면 검사 50명과 수사관 70명 등 최소한 120명 규모가 돼야 한다고 권고했지만, 박상기는 검사들로 구성된 법무부 TF에서 내놓은 축소안(검사 25명 등 50여 명 규모)을 법무부 의견으로 발표하도록 했다. 이런 태도는 당시 여당에서 유일하게 공수처 도입을 반대한 금태섭 의원이 보기에도 이상한 일이었다. 금태섭은 2017년 10월 국회 국정감사에서 박상기에게 다음과 같이 질문 공세를 퍼부었다.

금태섭: 법무·검찰개혁위원회에서 원래 검사를 한 50명 그리고 수사관을 포함해서 120명 규모를 권고했는데, 법무부에서는 검사 25명 그리고 수사관 30명을 (요청했고), 그렇게 되니까 반토막 공수처가 아니냐 이런 얘기가 나오고 있습니다. 이 숫자가 어떻게 나오게 된 겁니까?
박상기: 3개 부를 구성하는 걸 기본으로 해서 만들어진 겁니다.

금태섭: 법무부에서는 (위원회 권고의) 절반도 안 되는 인원을 내놨는데, 실제 시뮬레이션이 이루어진 건지 (…) 공수처에 대해서 많은 국민이 공정하고 엄정한 수사가 이루어지기를 바라고 있는데, 불과 며칠 전에 검사가 55명 필요하다고 했다가 얼마 되지도 않아서 다시 25명을 내니까 도대체 이것이 제대로 설계가 되고 있는 건지 궁금해하는 여론이 많습니다. 그리고 지금 국회의원들이 낸 법안을 보면 현직 검사들이 공수처로 못 가게 되어 있습니다. 맞지요?

박상기: 예.

금태섭: 그런데 지금 법무부에서 낸 안을 보면 현직 검사가 그만두고 바로 공수처로 갈 수 있게 되어 있지요?

박상기: 예, 그렇게 되어 있지만 그건….

금태섭: 제가 묻고 싶은 것은 여기서 공수처를 찬성하는 분도 있고 야당에서 반대하시는 분도 있지만, 검사가 비리를 저질렀을 때 엄정하게 수사해야 된다는 것에는 모든 사람의 의견이 일치할 거라고 봅니다. 그런데 의원법안과 달리 현직 검사가 공수처로 갈 수 있게 설계를 해 놨는데, 그 경우에 공정한 수사가 이루어질 수 있게 만드는 그런 장치 같은 게 있습니까?

박상기: 그건 바로 갈 수 있느냐 아니면 몇 년의 기간을 두고서 갈 수 있느냐 하는 문제에 달려 있다기보다는요. 검사를 채용하는 과정에서 그 절차에 있어서 그런 부분이 다 감안될 거라고 생각을 합니다.

금태섭은 공수처의 지나치게 적은 인력 규모와, 현직 검사도 공수처 검사가 될 수 있는 제도적 허점을 지적했지만, 박상기는 마치 법무부 검사들이 써준 내용을 그대로 읽는 듯 '영혼 없는' 답변만 내놓은 것이다. 그의 국정감사 답변은 검찰개혁에 대한 고민과 철학의 빈곤을 적나라하게 드러냈다. 공수처 규모 축소는 해당 기관의 수사 대상인 검찰이 두 손 들어 환영할 일이었다. 국정감사 직후 법무·검찰개혁위원회 위원들은 박상기를 찾아가 공수처 규모가 축소된 것에 강하게 항의했다. 하지만 바뀐 것은 없었다. 청와대가 아무런 반대 없이 법무부 수정안을 받아들였기 때문이다. 결국 반토막이 난 공수처는 출범 후 약 15개월 동안 직접 기소한 사건이 1건에 불과할 정도로 무기력했다. 2022년 5월 16일 김진욱 공수처장은 기자회견을 열어 "수사 대상 고위공직자는 7000명이 넘지만 공수처 검사 총원은 처·차장 빼고 23명에 불과해 턱없이 부족하다. 공수처의 적정 인원은 세 자리 숫자(검사와 수사관 포함)다. 그게 안 된다면 법무·검찰개혁위원회 원안에 있는 숫자(120명)는 돼야 제대로 작동할 수 있다"라고 호소했다.

2

검찰주의자
윤석열

문재인 정권 사람들은 검찰을 싫어했다. 그들은 검찰에 대해 진보 성향 정치인이 가질 법한 평균적 거부감을 넘어 증오에 가까운 감정을 느끼고 있었다. 노무현의 비극적 죽음이라는 '원한' 때문이다. 문재인도 검찰에 분노와 배신감이 깊었다. 《문재인의 운명》(2011)에는 그의 그런 감정이 절절하게 드러나 있다.

> 대선자금 수사로 대통령 측근들에게까지 수사의 칼날이 와도 검찰이 원칙과 소신대로 수사할 수 있도록 모두 허용했다. 우리 쪽의 생살을 도려내는 듯한 아픔을 겪으면서도 검찰 수사의 독립성과 중립을 보장해 줬다. 그렇게 마련된 검찰의 정치적 중립성과 독립성을, 앞으로 검찰 스스로 잘 지켜나가길 원했다. (…) 그런데 이명박 정부 들어서자마자 그

들은 순식간에 과거로 되돌아가 버렸다. 이명박 정부 출범과 함께 한꺼번에 퇴행해 버린 것이 어이없고 안타깝다. 안타깝기만 한 것이 아니다. 검찰을 장악하려 하지 않고 정치적 중립과 독립을 보장해주려 애썼던 노 대통령이 바로 그 검찰에 의해 정치적 목적의 수사를 당했으니 세상에 이런 허망한 일이 또 있을까 싶다.[9]

그런데 문 정권 사람들은 '검사 윤석열'에게만큼은 호감을 가졌다. 계기는 박근혜 정권 초기인 2013년 가을에 발생한 '국정원 댓글 수사 항명 사태'였다. 당시 야당이던 문 정권 인사들은 박근혜 정권에 맞선 윤석열에게 무한한 애정(!)을 표현했다. 박범계 의원이 당시 페이스북에 올린 글이 그중 압권이다.

윤석열 형! 형을 의로운 검사로 칭할 수밖에 없는 대한민국과 검찰의 현실이 너무 슬픕니다. 사법연수원 동기이면서 긴 대화 한번 나누지 못한 형에게 검찰에 남아 있어야 한다고, 불의에 굴하지 말라는 호소로 제대로 된 대화를 할 수밖에 없는 현실이 밉습니다. (…) 형은 오로지 진실만을 따라가는 공정한 검사가 될 것을 선서로 다짐한 것을 지켰을 뿐입니다.[10]

문재인 정권 사람들은 집권 후 적폐 수사가 대대적으로 벌어질 때마다 이를 주도하는 윤석열을 '정치적 동지'로 호명했다. 윤석열이 검찰총장에 지명되었을 때는 입이 마르도록 칭찬을 쏟아냈다. 이인영 민주당 원내대표는 "윤석열 후보자가 자신이 가진 검찰의 칼을 정치적으로 활용했다, 이런 이야기를 들어본 적이 없다. 그만큼 충직하고 강직했다"라고 했고, 김종민 의원은 "'법에 어긋나는 지시를 어떻게 수용하느냐'는 윤석열 후보자의 말이 인상에 남는다"라고 했다. 이철희 의원은 "국민이 사랑하는 검사(라는 뜻에서), '국사검'이라고 제가 이름을 붙여봤다"라고 말했다.¹¹ 하지만 '조국 사태' 이후 윤석열에 대한 문 정권의 평가는 정반대로 바뀌었다. 이들이 윤석열을 잘못 본 것일까? 아니면 윤석열이 변한 것일까?

운명을 바꾼 국정감사

윤석열을 '전국구 스타'로 만든 것은 박근혜 정권 때인 2013년 10월 21일 국회 국정감사였다. 이날 증인으로 출석한 윤석열은 당시 '국정원 댓글 사건' 수사 과정에서 황교안 법무부 장관과 조영곤 서울중앙지검장 등 검찰 수뇌부가 외압을 행사했다고 증언했다. 국정감사장에는 조영곤을 비롯한 외압의 당사자들이 나와 있었다. 그들의 면전에서 당당하게 증언하는 윤석열의 모습에 민주당 지지자들은 환호했다.

서기호(정의당 의원): 거기에 대해서 (조영곤) 지검장이 뭐라고 답변했

나요?

윤석열: 이렇게 된 마당에 사실대로 다 말씀드리겠습니다. 일단 처음에
좀 격노를 하셨습니다. 그리고 "야당 도와줄 일 있느냐? 야당이 이것을
가지고 정치적으로 얼마나 이용을 하겠느냐? 정 하려거든 내가 사표 내
면 해라. 그리고 우리 이 국정원 사건 수사의 순수성이 얼마나 의심받겠
느냐?" 이런 말씀을 하시기에 저는 '아, 검사장님 모시고 이 사건을 계속
끌고 나가기는 불가능하다'라고 판단했습니다.

(…)

정갑윤(새누리당 의원): 우리 증인은 조직을 사랑합니까?

윤석열: 예, 대단히 사랑하고 있습니다.

정갑윤: 혹시 사람에 충성하는 것은 아니에요?

윤석열: 저는 사람에 충성하지 않기 때문에 오늘도 이런 말씀을 드리는
겁니다.[12]

윤석열의 이날 모습은 상명하복 문화에 길든 기존 검사의 이미지
와 완전히 다른 것이었다. 검찰은 그동안 '검사동일체 원칙'*에 매몰

---

*   검찰권을 행사할 때 검찰총장을 정점으로 상하복종 관계에 있음을 강조한 원칙으
로 상명하복, 직무승계, 직무이전으로 구성돼 있다. 검사동일체 원칙은 검찰청법
제7조에 명시돼 있었지만, 노무현 정권기인 2004년 1월 삭제되었다. 검찰 간부들
이 이 조항을 근거로 일선 검사에게 부당한 압력을 행사해왔다는 지적에 따른 것
이었다. 하지만 이후에도 검찰에 여전히 상명하복 문화가 남아 있다는 지적을 받
아왔다.

돼 상관의 부당한 지시에도 군말 없이 따르는 조직문화를 갖고 있었다. 특히 정치적으로 민감한 사건에서 이런 경향은 두드러졌다. 윤석열의 행동은 검찰의 이런 부정적 이미지를 깨는 '신선한 충격'으로 받아들여졌다.

당시 검찰 수뇌부와 윤석열이 이끄는 수사팀은 구속기소된 원세훈 전 국정원장의 공소장 변경과 국정원 직원 긴급체포 문제로 갈등을 빚고 있었다. 수사팀은 국정원 직원들이 트위터에서 정치 관여 댓글을 작성한 뒤 이를 퍼 나른 사실을 파악하고 관련자 3명을 긴급체포했다. 이후 수사팀은 이들에 대한 조사 결과를 먼저 기소된 원세훈의 혐의에 포함하기 위해 법원에 공소장 변경을 신청했다. 그러자 조영곤은 윗선에 보고도 없이 체포영장과 공소장 변경을 신청했다는 이유로 수사팀장인 윤석열을 직무에서 배제한 뒤 대검에 감찰을 요청했다.

국정원 댓글 사건은 박근혜 정권의 아킬레스건이었다. 이보다 한 달 전 채동욱 검찰총장이 박근혜 정권의 압력에도 불구하고 수사를 원칙대로 지휘하다가 '혼외자 의혹'이 불거지는 바람에 자리에서 물러났다. 민주당을 비롯한 야권은 국정원의 대통령선거 개입이 드러날 것을 우려한 박근혜 정권이 이 사건 수사를 막고 있다고 공격했고, 여당은 터무니없는 정치공세라고 맞섰다. 이런 상황에서 검찰 수뇌부가 수사팀장이던 윤석열을 쫓아낸 것이다. 민주당은 때마침 열린 국회 국정감사에 윤석열을 증인으로 불러 정권 차원의 수사 외압을 밝혀내겠다고 벼르고 있었다.

검찰 수뇌부는 전전긍긍했다. 검찰 지휘부와 수사팀장이 국감장에서 '진실게임'을 벌이는 전례 없는 상황이 벌어질 게 뻔했다. 윤석열은 상관인 조영곤보다 사법시험 합격은 8년 늦었지만 나이는 두 살 차이밖에 나지 않았다. 두 사람은 대학(서울대 법대) 때부터 잘 알고 지냈기 때문에 사석에서는 형 동생 하는 사이였다. 수사 과정에서 이들이 허심탄회하게 주고받은 이견이 공개된다면 검찰 지휘부는 난처한 상황에 놓일 수밖에 없었다. 따라서 어떻게 해서든 윤석열의 국감 출석을 막아야 했다. 검찰 수뇌부는 윤석열에게 메신저를 보내 '아프다고 하고 국감에 나가지 말라'고 회유했다. 하지만 윤석열은 '재벌 오너도 국감 불출석 사유로 아프다는 핑계는 대지 않는다'며 거절했다.

국감 당일 검은 넥타이를 매고 나타난 윤석열은 검찰 수뇌부가 우려한 대로 거침없이 증언했다. "이렇게 된 마당에…"로 시작한 그의 증언은 권력에 약한 검찰의 민낯을 적나라하게 보여줬다. 윤석열이 증언하는 동안 조영곤은 얼굴이 벌겋게 달아올랐다. 자신의 집에서 나눈 대화 내용이 시시콜콜 다 공개되었기 때문이다. 윤석열은 조영곤의 집으로 찾아간 날(2013년 10월 15일) 저녁 국정원 직원 3명에 대한 긴급체포와 압수수색영장을 청구하겠다고 보고했다. 그는 저녁을 같이한 뒤 맥주를 마시면서 이 사실을 알렸고, 조영곤은 불같이 화를 냈다.

윤석열은 찾아낸 증거를 바탕으로 원세훈을 추가기소하겠다고 보고하면서 국정원 직원 체포 건은 자신이 책임지겠다고 했다. 상부 보고 누락 등으로 인사상 불이익을 받더라도 감수하겠다는 뜻이었다. 그는 조영곤에게 원세훈 공소장 변경 건을 부탁하면서, "형님처럼 마음이 여린 분은 이 정권에서 총장 못한다. 변호사 개업했다가 나중에 장관을 할 수 있는 거 아니냐"라고 말했다. 제 딴에는 선배의 체면을 살려주려고 한 말이었다. 그런데 마침 거실을 지나다 이 말을 들은 조영곤의 부인은 남편이 후배에게 모욕당했다고 느낀 모양이다. 그녀는 윤석열에게 "우리나라 검사들이 이래서 문제다. 모든 걸 다 할 수 있다고 생각한다"라고 쏘아붙였다.

윤석열은 지시불이행 등의 사유가 인정되어 정직 1개월의 징계를 받고 대구고검 검사로 좌천되었다. 수사 방해 혐의로 함께 감찰을 받은 조영곤은 무혐의 처분되었다. 곧바로 사표를 낸 조영곤은 퇴임식에서 윤석열을 향한 분노를 적나라하게 드러낸다.[13] 그는 "그간 일부 언론을 통해 마치 수사 외압이나 부당한 지시가 있던 것처럼 보도함으로써 저 개인의 명예와 검찰 조직의 명예를 실추시킨 것은 있을 수 없는 일"이라며 "더이상 자극적인 말 만들기나 덮어씌우기 행태는 없어야 한다"라고 했다. 이 퇴임사는 조영곤이 직접 작성했는데, 그마저도 간부들의 만류로 수위를 낮춘 것이었다.*

---

* 하지만 조영곤은 이후 윤석열이 국민의힘 후보로 20대 대선에 출마할 때 그를 지

당시 윤석열의 행동은 각 진영에 따라 정반대로 해석되었다. 새누리당을 비롯한 여권은 이를 '검찰 항명 사태'로 받아들인 반면, 민주당 등 야권에서는 상관의 부당한 명령에 맞선 정의로운 행동으로 평가하며 윤석열을 치켜세웠다. 검찰 안에서도 평가가 엇갈렸다. 평검사들은 대체로 긍정적으로 봤지만, 간부급 검사들 가운데는 지휘부와 논의한 내용을 시시콜콜 다 공개한 것은 경솔하고 무책임하다고 비판하는 이들이 있었다. 지휘부와 수사팀 간 이견은 자연스러운 일이고, 그에 대한 조율은 수사지휘 과정의 당연한 절차인데 그런 내용을 모두 공개한 행동은 부적절하다는 것이다.

국정원 댓글 사건은 검찰이 권력에 약한 모습을 보일 때마다 사람들의 머릿속에 윤석열을 떠올리게 했다. 윤석열은 살아 있는 권력을 수사하면서 상부의 부당한 지시를 거부하는 용기와 수뇌부의 압박으로부터 후배 검사를 보호하는 책임감까지 갖춘 바람직한 검사로 포장되었다. 윤석열은 국감장에서 조영곤의 지시를 따르지 않은 까닭을 이렇게 말했다. "원래 검찰이라는 데는 검사들이 상관한테 어떤 중대범죄 혐의를 포착해서 가면 거기에 관심을 보이고, 그다음에 즉시 수사하는 게 필요하다고 하면 특별한 경우가 없는 한 수사

지하는 법조인 명단 355명에 이름을 올렸다. 그는 "(지지 성명에 이름을 올린 것은) 대의적인 부분을 바라보고 마음 가는 대로 한 것이다. 업무적 마찰과 연관 지어 생각할 필요는 없다"라고 밝혔다. 〈'사람에 충성 안한다', 윤 항명 당사자…조영곤도 윤 지지했다〉, 《중앙일보》, 2022. 3. 7.

를 시키는 게 원칙입니다. 그렇게 되지 않을 때 늘 검찰에서 말썽이 일어났습니다. 늘 시끄러웠고요."[14] 검사들이 즉시 수사하는 게 필요하다고 (보고)하면 그리하도록 놔두는 게 원칙인데 조영곤이 이를 어겼기에 항명할 수밖에 없었다는 것이다.

측근과 검찰에게는 무뎌지는 칼날

그러나 윤석열은 7년여 뒤 자신의 측근에 대한 수사에서는 이와 정반대의 태도를 보인다. 검찰총장 때인 2020년 서울중앙지검이 '채널A 사건'과 관련해 한동훈에 대한 수사에 착수하자 수사팀 및 대검 부장회의의 반대에도 불구하고 전문수사자문단 소집을 지시하는 등 수사를 집요하게 방해했다.[*] 수사팀이 한동훈의 중대범죄 혐의를 포착해서 즉시 수사하는 게 필요하다고 보고했는데도 훼방을 놓은 것이다. 서울행정법원은 2021년 10월 윤석열이 낸 징계무효 소송에서 그가 채널A 사건에서 한동훈에 대한 감찰 및 수사를 방해한 행위를 징계사유로 인정했다. 재판부는 윤석열의 행동이 "면직까지 가능한" 중대한 비위행위라고 판단했다.[**]

---

[*]   한동훈과 '채널A 사건'에 대해서는 이 책 3장에서 자세히 다룬다.

[**]   2021년 10월 14일 서울행정법원 행정12부(부장 정용석)는 윤석열의 행위가 "검찰 사무의 적법성과 공정성을 해치는 중대한 비위 행위"라며 "면직까지 가능하기 때

정의로운 검사 이미지에 가려졌지만, 측근에 대한 윤석열의 이중 잣대는 일찍부터 지적된 바 있다. 서울중앙지검 특수1부장으로 재직하던 2012년 11월, 윤석열은 김 아무개 서울고검 검사가 기업으로부터 뇌물을 받은 사건과 관련해 경찰이 신청한 압수수색영장을 기각했다. 윤석열의 특수부 선배인 김 검사는 서울중앙지검 특수3부장 시절 유진그룹에 대한 검찰 내사를 덮어주는 대가로 5억 9000여만 원을 받는가 하면, 중국으로 도피한 '다단계 사기범' 조희팔의 측근한테서 2억 7000만 원을 받은 혐의를 받고 있었다.

경찰은 김 검사가 같은 부서 후배 검사 3명과 함께 유진그룹 주식에 투자한 것을 확인하고 그의 계좌를 추적하려고 했다. 하지만 윤석열은 검찰의 수사지휘권을 내세워 경찰이 신청한 영장을 기각했다. 윤석열은 경찰의 수사 의도를 의심했다. 검찰이 특임검사를 임명해 수사하고 있는 상황에서 경찰이 다른 혐의를 뒤진다고 본 것이다. 윤석열은 "검사를 구속하려고 해도 검찰이 구속영장을 청구해야 하고, 판사를 구속하려 해도 판사가 구속영장을 발부해야 하는 것"이라며 "김 검사의 다른 비리를 수사하려거든 검찰의 지휘절차를 준수해야 한다"라고 했다.[15]

그러나 김 검사에 대한 수사는 애초 경찰이 시작한 것이었다. 경찰은 조희팔의 은닉 자금을 추적하는 과정에서 김 검사의 차명계좌

문에 정직 2개월의 징계는 가볍다"라고 판결했다.

를 발견하고 내사에 착수했다. 이를 파악한 검찰이 부랴부랴 특임검사를 임명해서 경찰의 수사를 가로챈 것이다.

또 김 검사와 함께 주식투자를 한 검사들은 그의 차명 주식계좌로 돈을 입금해 유진그룹 계열사 주식에 투자했다가 손해가 발생하자 투자금을 돌려받았다. 검찰 특임검사팀은 이들을 무혐의 처분했다. 이들이 김 검사의 권유로 주식투자를 했다는 게 이유였다. 유진그룹의 내부정보를 직접 취득한 김 검사는 처벌 대상이지만, 이를 간접적으로 전해 들은 나머지 검사들은 처벌하기 어렵다는 논리였다. 경찰은 이후 "특임검사팀 수사결과에 포함되지 않은 특수부 검사 3명에 대한 추가 수사가 필요하다"라는 의견으로 검찰에 사건을 송치했다. 하지만 윤석열은 "이미 특임검사팀이 수사했다"라며 '공소권 없음' 처분을 내리고 수사를 종결했다. 윤석열의 '측근 챙기기'와 '검찰 지상주의자'의 면모를 적나라하게 드러낸 사건이었다.

윤석열은 검찰의 기득권 수호에도 적극적이었다. 그는 2012년 11월 당시 한상대 검찰총장이 추진한 대검찰청 중앙수사부(중수부) 폐지에 반대하는 특수부 검사들의 반란(검란)에 주도적으로 참여했다. 당시 서울중앙지검 특수1부장 윤석열은 한상대의 입노릇을 한 대검 대변인에 맞서 '항명파'의 대변인으로 활약했다. 그는 특유의 친화력으로 특수부 후배들을 이끌었다. '대검에서 총장의 자진 사퇴를 유도하고 있으니 힘을 실어달라'는 윤석열의 메시지를 후배들은 믿고 따랐다. 그의 활약에 힘입어 당시 대검 중수부장 최재경(박근혜 정권 말기 청와대 민정수석) 등 항명파가 검찰 안에서 빠르게 대세를 장악할 수 있었다.

한상대의 중수부 폐지 추진은 당시 '김 검사 뇌물 사건'과 '초임검사 성추문 사건' '최태원 SK그룹 회장에 대한 봐주기 구형 지시' 등으로 퇴진 압박에 몰린 상황을 모면하려는 의도가 있긴 했다. 그러나 그와 무관하게 대검 중수부 폐지는 오래전부터 검찰개혁의 핵심 과제로, 폭넓은 여론의 지지를 받고 있었다. 노무현 전 대통령에 대한 수사를 비롯한 여러 정치적 사건에서 검찰권을 남용해왔기 때문이다. 검찰총장의 직할대인 대검 중수부는 정권의 입맛에 맞는 수사를 해주고 검찰의 기득권을 보장받는 '정치검찰'의 온상으로 지목받고 있었다.

대검 중수부는 검찰이 수사권과 수사지휘권, 기소권을 모두 독점해야 한다는 입장을 상징하는 조직이기도 했다. 검찰에서 가장 뛰어난 검사들을 모아 수사력을 과시함으로써 수사권도 검찰이 갖고 있어야 한다는 논리를 퍼뜨린 것이다. 따라서 검찰의 힘을 빼려면 가장 먼저, 반드시 폐지되어야 할 조직이 중수부였다. 그러나 한상대는 특수부 검사들의 힘에 밀려 뜻을 이루기 전에 짐을 싸야 했다. 대검 중수부는 그로부터 석 달 뒤, 박근혜 정권의 대통령직 인수위에서 폐지가 결정된다.

'검사 대통령'을 꿈꾸다

윤석열은 서울중앙지검장 시절《조선일보》사주 방상훈과《중앙일보》사주 홍석현을 사적으로 만났다. 서울중앙지검장이 언론사 사주를 만난 것은 전례 없는 일이었다. 검찰총장도 언론사 편집국장이나 보도국장을 만나는 경우가 있을 뿐 오너를 마주할 일은 없다. 사적인 인연이 있더라도 피하기 마련이다. 검찰권 행사와 관련해 오해를 살 수 있기 때문이다. 그만큼 검찰과 언론의 유착은 수사의 신뢰와 공정성을 해친다.

특히《조선일보》사주 일가는 당시 서울중앙지검에 여러 사건이 걸려 있었다. 윤석열의 서울중앙지검장 재직 기간인 2017년 5월부터 2019년 7월까지 총 5건의 사건이 서울중앙지검에 고소·고발돼 있었다.[16] 2018년 검찰과거사위원회가 권고한 '장자연 사건'과 관련해 방상훈 사장의 아들 방정오《TV조선》전 대표와 동생 방용훈 코리아나호텔 사장에 대한 수사, 2018년 3월 민주언론시민연합 등 4개 단체가 '박근혜 국정농단 사태 보도 무마를 위한 불법거래 의혹'을 수사해달라며《TV조선》간부를 고발한 사건, 2019년 2월 민생경제연구소 등이 방정오를 횡령·배임 의혹으로 고발한 건, 2019년 3월 '로비스트 박수환 문자' 관련 기사 거래 의혹 고발 건, 2019년 6월 전국언론노동조합 등이 방상훈을 배임 등의 혐의로 고발한 사건 등이다. 검찰이 제대로 수사를 했다면《조선일보》사주 일가는 피의자가 될 터였다. 검사가 수사 대상자를 사적으로 만나는 것은 '검사윤리강령' 위반에 해당한다.[*] 윤석열은 2020년 10월 22일 국회 국정감사에서 민주당 의원들이 이 문제를 추궁하자, "(만남의) 상대방도 있는데 확인해 줄 수 없다"라고 버텼다.

서울중앙지검장 시절 두 보수언론 사주와의 만남은 윤석열이 정치적 야심을 드러낸 것으로 해석되었다. 검찰총장이 목표라면 굳이 언론사 사주까지 만날 필요는 없기 때문이다. 더욱이 두 언론사는 윤석열의 인사권을 가진 문재인 정권과 각을 세우고 있었다.《조선일보》와《중앙일보》가 윤석열을 밀수록 문 정권에서 그가 검찰의 수장에 오를 가능성은 떨어질 게 뻔했다. 따라서 그런 행보는 윤석열이 검찰총장 이상의 목표를 갖고 있음을 시사했다.

실제로《중앙일보》사주 홍석현은 2018년 11월 윤석열을 만나고 난 뒤 언론사 간부들에게 "(윤석열은) 검찰총장 이상을 꿈꾸는 것 같다"라고 말했다. 전직 대통령을 두 명씩이나 구속하고, 국정원에 이어 사법부까지 초토화시킨 역대 최강의 서울중앙지검장이 품을 만한 '검찰총장 이상의 꿈'은 대권밖에 없었다. 홍석현의 인물평을

[*]　검사윤리강령에는 다음과 같은 조항이 있다.
제14조(외부 인사와의 교류): 검사는 직무 수행의 공정성을 의심받을 우려가 있는 자와 교류하지 아니하며 그 처신에 유의한다.
제15조(사건 관계인 등과의 사적 접촉 제한): 검사는 자신이 취급하는 사건의 피의자, 피해자 등 사건 관계인 기타 직무와 이해관계가 있는 자와 정당한 이유 없이 사적으로 접촉하지 아니한다.

전해 들은 언론사 간부들은 대부분 그렇게 해석했다. 이때부터 언론계에서 '윤석열 대망론'이 퍼져나가기 시작했다.

《JTBC》는 대선을 한 달여 앞둔 2022년 1월 '윤석열이 검찰총장 때 이미 대권에 뜻이 있었다'고 주장하는 한 역술인의 인터뷰를 보도했다.[17] 주역 전문가 서대원 씨는 2019년 초 자신의 강의에 참석한 윤석열의 부인 김건희를 처음 만났다. 그리고 김 씨의 부탁으로 그해 2월 윤석열을 만났다. 그는 당시 상황을 이렇게 전한다. "나는 그분이 제가 그 당시에 볼 때, 조국은 앞으로 한 6개월 정도만 하면 장관에서 물러나고 그 장관의 자리를 현재의 윤 후보가 맡을 것이다, 또 그거 하기 위해서는 검찰개혁을 어느 정도 완수하고, 장관 생활을 좀 하고 난 후에 다음 총선이 오면 지역을 하나 맡아서 국회로 들어가고 하는, 이런 그림이 눈에 보이더라고요."

서 씨는 그 후 조국이 법무부 장관에 지명되었을 무렵 김건희한테서 전화를 받았는데, 수화기 너머로 윤석열이 '조국이 다음 대통령이 될지를 물어보라'고 말하는 것을 들었다고 밝혔다. "(김건희) 옆에서 들리는 소리가 그래서 조국이 대통령 되겠는가? 이렇게 (물으라고) 시키더라고 이 남편이." 윤석열은 2021년 3월 검찰총장을 사퇴하기 전까지는 대권에 도전할 뜻이 없는 것처럼 행세했지만, 서 씨의 눈에는 그가 늦어도 검찰총장 재직 때부터 대권을 노린 걸로 보였다는 이야기다.

3

문제는
문재인이다

문재인 전 대통령이 재임 기간에 내린 결정 가운데 가장 후회하는 일은 단연 '윤석열 검찰총장 임명'이 아닐까. 그가 공개적으로 이를 밝힌 적은 없지만 말이다. 퇴임을 20여 일 앞두고 손석희 전 《JTBC》 사장과 가진 대담[18]에서 문재인은 '현 정부에서 검찰총장을 지낸 윤석열의 대통령 당선을 보면서 어떤 생각을 했느냐'는 물음에 "(윤석열이) 결과적으로 다른 당 후보가 돼 대통령에 당선된 것은 참 아이러니한 일이 되었다"라고만 했다. 하지만 자신이 임명한 검찰총장이, 자신의 공약인 검찰개혁에 반발해 뛰쳐나가 야당의 대선 후보가 되고, 급기야 자신이 소속된 정당의 정권 재창출까지 막은 이 기막힌 사건의 단초를 스스로 제공한 것을 통탄해하지 않는다면, 그것은 신의 경지에서나 가능한 게 아닐까. 문재인은 주변의 숱한 반대를 무릅쓰고 윤석열을 검찰총장으로 선택했다. 왜 그랬을까.

누가 윤석열을 밀었을까?

두 사람의 첫 만남은 '박근혜-최순실 국정농단' 규탄 촛불집회가 한창이던 2016년 11월 중순 무렵이다. 그런데 문재인은 이날의 윤석열을 기억하지 못한다. 회동의 주빈이 윤석열이 아닌 채동욱 전 검찰총장이었기 때문이다. 당시 야권의 유력 대선후보 문재인은 민주당의 외연 확대에 힘을 쏟고 있었고, 채 전 총장도 그중 하나였다. 박근혜 정권의 초대 검찰총장 채동욱은 '국정원 댓글 사건' 수사로 정권에 밉보여 취임 5개월여 만에 물러난 비운의 검사다. 그는 2012년 대선 당시 국정원의 여론 조작을 지시한 원세훈 전 국정원장 등에게 공직선거법 위반 혐의를 적용하는 문제로 정권과 갈등을 빚었다. 원세훈의 혐의가 인정될 경우 따라올 정권의 정통성 시비를 우려한 청와대가 압력을 가했지만, 채동욱은 이를 거부했다. 그러자 청와대는 채동욱의 혼외자 문제를 빌미로 초유의 '검찰총장 감찰' 카드를 꺼냈고, 결국 그는 스스로 총장직에서 물러났다. 문재인은 그런 채동욱에게 각별한 관심을 보여왔다.

2016년 11월의 만남은 문재인의 '브레인' 양정철과 채동욱의 친구 이재순 변호사(참여정부 청와대 사정비서관 출신)의 주선으로 성사됐는데, 그 자리에 함께 나온 이가 윤석열 당시 대전고검 검사였다. 채동욱은 '전두환·노태우 비자금 사건'과 '삼성 에버랜드 전환사채 헐값 발행 사건' '현대차 비자금 사건' 등 굵직한 권력형 비리 사건의 주임검사를 도맡을 정도로 검찰총장이 되기 전부터 이미 검찰을 대표하는 검사였다. 윤석열은 채동욱이 대검 중수부 수사기획관으로 주도한 현대차 비자금 수사에 참여한 이후 그의 측근이 되었다. 이날 문재인은 검찰개혁에 대한 견해를 물었고, 채동욱은 그간 정리해둔 생각을 허심탄회하게 얘기했다. 따라서 당시 문재인에게 윤석열은 눈에 띄는 존재가 아니었다. 2019년 7월 25일 청와대에서 문재인은 윤석열에게 검찰총장 임명장을 건네며 "총장님, 저와 처음 뵙죠?"라고 인사말을 건넸다. 3년 전 그를 만난 사실을 까맣게 잊은 것이다.

한편 당시 양정철은 윤석열과 '호형호제'할 정도로 가까운 사이였다. 앞서 양정철은 윤석열에게 2016년 4·13 총선에 더불어민주당 후보로 출마할 것을 제안하기도 했다. 이에 대해 윤석열은 2019년 7월 검찰총장 인사청문회에서 다음과 같이 말했다. "2015년에 가까운 선배가 주말에 서울 올라오면 한번 얼굴을 보자고 해서 식사 장소에 나갔더니 그분(양정철)이 나와 있었다." "2016년에 고검 검사로 있을 때 공직 사퇴 기한이 있던 것 같은 당시에, (양정철로부터) 몇 차례 전화가 왔다. '다시 한번 (총선 출마를) 생각해볼 수 없겠냐' 묻길래, '그럴 생각이 없다'고 얘기했다."

문재인의 청와대 참모들과 민주당 사람들은 윤석열을 검찰총장으로 민 핵심 인사로 양정철과 노영민 대통령 비서실장, 그리고 윤건영 청와대 국정기획상황실장(현 더불어민주당 의원)을 지목한다. 문재인이 청와대와 민주당에 존재한 적잖은 '윤석열 비토'를 뿌리치고 임명을 강행한 것은 이들이 밀었기 때문에 가능했다는 말이다. 실제로 당시 인사검증을 담당한 청와대 공직기강비서관실은 윤석열 검찰총장 임명에 반대하는 의견을 냈다. 당시 공직기강비서관 최강욱(현 더불어민주당 의원)은 2021년 12월 《뉴스타파》 인터뷰에서 "공직기강비서관실의 보고는 '임명불가'였다"라고 밝힌 바 있다.[19] 하지만 윤건영은 "(윤석열 총장 인사 과정을) 파편적으로 이해해서는 안 된다. 누가 누구를 밀거나 하는 식으로 이뤄진 게 아니다"라고 자신의 '윤석열 지원설'을 부인했다. 그는 또 양정철에 대해서도 "문재인 정부는 청와대 밖에 있는 사람이 대통령의 인사에 영향을 미치는 구조가 아니었다"라고 말했다.[*]

노영민, "윤석열에게 속았다"

노영민은 검찰총장 인선 배경에 대해 '윤석열이 다른 후보에 비해

---

[*] 윤건영은 2022년 6월 15일 필자와 전화통화에서 이렇게 밝혔다. 그는 정식 인터뷰 요청에는 "만나서 할 얘기가 별로 없다"라며 거부했다.

개혁적이라고 판단했다'고 밝혔다. 당시 4명의 검찰총장 후보* 가운데 공수처 설치 등 문재인 정권이 추진하는 검찰개혁에 가장 적극적이던 이가 윤석열이라는 것이다. 노영민은 2022년 2월 12일 《오마이TV》 인터뷰에서 "검찰총장 면접 당시엔 윤 후보가 4명의 후보 중에서 검찰개혁에 가장 강력하게 찬성했는데 총장이 된 후부터 태도가 바뀌었다"라고 말했다.[20]

하지만 노영민은 '검찰개혁에 대한 태도가 바뀐' 윤석열을 계속 비호했다는 의심을 받는다. 2020년 4·15 총선에서 민주당이 압승한 뒤 사퇴 압박을 받던 윤석열을 감쌌다는 것이다. 그해 10월 22일 대검 국정감사에서 윤석열은 "대통령께서 총선 이후 더불어민주당에서 '사퇴하라'는 얘기가 나왔을 때, 적절한 메신저를 통해서 '흔들리지 말고 임기를 지키라'고 전해주셨다"라고 말해, 민주당 의원들과 지지자들을 깜짝 놀라게 했다. 조국 일가 수사로 정권을 곤경에 빠뜨린 윤석열을 당장 쫓아내도 시원찮을 판에 대통령이 임기를 지키라는 메시지를 전달했다니, 지지자들로서는 선뜻 믿을 수 없는 것이다. 따라서 윤석열이 말한 '적절한 메신저'가 과연 누구인지에 관심이 쏠렸는데, 당시 대통령 비서실장이던 노영민이 지목된 것이다. 노영민은 보름 뒤인 11월 4일 국회 운영위 국정감사에 출석해, 대통

---

*   2019년 당시 검찰총장후보추천위원회(위원장 정상명 전 검찰총장)가 추천한 4명의 후보는 윤석열(서울중앙지검장), 김오수(법무부 차관), 봉욱(대검 차장), 이금로(수원고검 검사장)였다.

령 메시지의 진위 여부와 메신저가 누군지 등에 대한 야당의 질문 공세를 받았다. 그는 "인사, 임기와 관련된 것은 말씀드릴 수 없다"라는 답변만 되풀이했다.

하지만 추미애 전 법무부 장관은 2021년 10월 27일 《열린민주당 TV》에 출연해, 노영민이 당시 여권 내부의 대표적인 '윤석열 비호 세력'이었다고 주장했다. 그는 "(윤석열) 본인이 그러잖나. 민주당 내에도 본인과 소통되는 사람이 있었다고 했다. 그 사람을 대통령께 천거하고, (검찰총장) 임기 끝까지 지켜내라, 대통령이 사람을 보내서 메신저를 보내왔다고 큰소리쳤잖나"라고 말했다.

추미애는 12월 9일 《열린공감TV》에 나와 재차 노영민을 공격했다. 추미애는 앞서 노영민이 한 언론 인터뷰에서 '정치를 안 하리라 믿은 윤석열에게 속았다'는 취지로 말한 것을 겨냥해, "법무부 장관이 여러 합리적 이유와 증거로 (윤석열에 대한) 감찰과 징계까지 했는데, 그건 안 믿고 윤을 믿었다는 것은 '정실정치'를 했다는 것"이라며 "시스템 없는 정실정치, 즉 정당정치도 작동 안 되고, 정당 내부 소통도 없으며, 내부 견제와 균형 또한 안 이뤄지는 데다, 민주화운동세력이라면서도 결론은 정실정치, 비선정치에 익숙해져 있었다는 반증"이라고 날을 세웠다. 추미애는 특히 "자기들끼리 패거리 지어 속닥거리고, 시스템은 믿지도 구축하지도 않으며, 투명하게 권력을 나눌 생각도 없었다. 권력을 나눠 먹겠다는 게 아니라, 투명하게 공개해서 민주적 견제를 받겠다는 정직한 자세가 없다 보니 '3철'이 있던 것"이라며, 양정철과 전해철(전 행안부 장관·더불어민주당 의원), 이호철(노무현 정권 청와대 민정수석) 등 문재인 측근 그룹을 윤석열 비호세력으로 지목했다.

양정철의 조국 때리기

양정철은 '윤석열 비호' 의혹에 아무런 해명도 하지 않고 있다. 윤석열이 국민의힘 후보로 대선 출마 선언을 하기 20여 일 전인 2021년 6월 8일, 양정철은 《동아일보》 인터뷰에서 다음과 같은 말을 쏟아냈다.

"대통령은 최선을 다했지만 청와대와 내각의 참모진은 최선에 이르지 못했다. 능숙한 아마추어가 너무 많았다. 대통령이 답답하고 힘들었을 것이다." "참모의 덕목 중에 핵심은 책임감이다. 특히 청와대 참모들은 대통령에게 여러 선택의 옵션을 드릴 수 있어야 한다. 참모들이 대통령이 국정운영에 있어 운동장을 넓게 쓸 수 있는 많은 옵션을 드렸는지 잘 모르겠다." "무엇보다 아쉬운 것은 정권 출범 이후 꽤 오랜 기간 지지율이 고공행진할 때, 이후 닥쳐올 어려운 시기에 대한 대비가 부족한 게 아쉽다. 지지율에 취했다고 할까." "(문 대통령은) 인사수석과 민정수석, 그리고 인사추천위원회에서 걸러져 올라오는 사람에 대해 선택은 하지만 직접 어떤 자리에 누구를 콕 집어 사람을 쓰는 분이 아니다. 그런 점에서 보면 참모들이 가용 인적자원을 폭넓게 쓰도록 하지 못한 면에서도 협량함이 있었다고 본다."[21]

전반적으로 절제된 인터뷰이지만 "능숙한 아마추어" "지지율에 취했다" "협량함" 등의 용어에서 청와대 참모진을 향한 아쉬움이 고스란히 드러난다. 조국에 대한 불만은 더욱 노골적이다. "그분 정도 위치에 있으면 운명처럼 홀로 감당해야 할 역사적 사회적 무게가 있다. 나 같으면 법원과 역사의 판단을 믿고, 책은 꼭 냈어야 했는지…. 당에 대한 전략적 배려심이 아쉽다." 양정철은 조국이 책《조국의 시간》, 2021)을 통해 윤석열과 검찰, 그리고 검찰 수사 내용을 보도한 언론을 비난한 것을 '정권 재창출을 방해하는 행위'로 보고 있었다. 조국에 대한 문재인의 마음*을 누구보다 잘 알 법한 양정철의 비판은 의미심장하다.

조국의 알리바이와 모순

2019년 조국 민정수석은 윤석열 검찰총장에 대한 찬반 의견이 같은 비중으로 담긴 인사검증 보고서를 대통령에게 올렸다. 인사검증을 담당한 공직기강비서관실은 반대 의견을 냈지만, 문재인의 마음

---

* 문재인은 2020년 1월 14일 대통령 신년 기자회견에서 이렇게 말했다. "조국 전 장관이 지금까지 겪은 고초, 그것만으로도 저는 아주 크게 마음의 빚을 졌다고 생각한다."

이 이미 윤석열로 기울었기 때문에 이를 감안한 것이다. 문재인은 윤석열이 서울중앙지검장 시절 지휘한 'MB 수사'와 '사법농단 수사' '삼성 경영권 승계 의혹 수사' 등을 긍정적으로 평가했다. 문재인은《JTBC》와의 대담[22]에서 윤 총장 임명 과정을 이렇게 회고했다. "당시 윤석열 서울중앙지검장은 아주 결기 있는 강골 검사로서 희망이 높았다. 그래서 검찰총장 후보 추천군에도 들어와 있었고 거기에 대한 기대를 가지고 검찰총장으로 임명한 것이다."

대통령에게 윤석열 검찰총장의 '위험성'을 제대로 보고하지 않은 조국도 그 책임에서 자유롭지 못하다는 지적이 있다. 그러나 조국은 《조국의 시간》에서 이렇게 반박했다.

첫째, 민정수석은 비서관 중의 수석일 뿐 인사권을 갖고 있지 않다. 인사권자의 권한 행사를 위한 자료를 준비해 보고할 뿐이다. 따라서 '조국이 민다' 등의 표현 자체가 잘못되었다. 특히 검찰총장의 경우 검찰총장추천위원회의 복수 추천에 기초해 법무부 장관이 대통령께 제청하게 되는데, 이때 민정수석실은 후보자를 검증해 보고서를 올린다. 둘째, 윤석열 검사를 서울중앙지검장으로 승진, 발탁하는 것에 대해서는 당시 청와대 안팎에서 이견이 없던 것으로 기억한다. 국정농단 사건의 공소유지를 맡는 것이 옳다는 판단 역시 공유되었다. 셋째, 윤을 검찰총장으로 임명하는 것에 대해서는 청와대 안팎에서 의견이 확연하게 나뉘었다. 나는 민정수석으로서 찬반 의견을 모두 수집해 보고해야 했기에 그 내용을 잘 알고 있지만, 의견을 표명한 사람의 실명을 밝힐 수는 없다. 다만, 당시 민주당 법사위원과 법률가 출신 국회의원 대다수와 문재인 대선 캠프 법률지원단 소속 법률가들 다수는 강한 우려 의견을 제기했다는 점은 밝힌다. '무차별적이고 무자비한 수사의 대가다' '뼛속까지 검찰주의자다' '특수부 지상주의자다' '정치적 야심이 있다' 등이다. 윤 카드를 찬성하는 쪽은 윤 개인을 신뢰했고, 공수처와 검경 수사권 조정 등 검찰개혁이 이루어질 것이므로 윤석열의 문제점이 상쇄될 수 있다고 믿었다. 윤이 총장으로 임명된 후 한동훈 검사(당시 서울중앙지검 3차장)의 서울중앙지검장 임명을 요청했다. 나는 단호하게 거절했다. 서울중앙지검장을 검찰총장 최측근으로 임명하는 것은 옳지 않다고 판단했다.[23]

하지만 조국은 당시 총장 후보를 법무부 장관에게 추천하는 검찰총장후보추천위원회 쪽에 "최종 후보군에 윤석열을 포함시켜달라"라고 부탁한 것으로 전해진다. 대통령의 의중을 반영한 것이겠지만, 자신의 책에서 장황하게 '알리바이'를 주장한 것과는 앞뒤가 안 맞는 행동이었다.

문재인,
"윤석열은 진실 비추는 불빛"

'윤석열 총장 카드'의 최종 책임은 결국 문재인에게 있다. 청와대 참모진의 의견은 그야말로 참고사항일 뿐 결국 인사권은 대통령이 행사하는 것이다. 문재인은 검찰개혁의 관건 중 하나가 검찰총장 인사라는 사실을 참여정부의 경험을 통해 누구보다 잘 알고 있었다. 그가 쓴《검찰을 생각한다》(2011)*에도 이런 생각이 잘 드러나 있다.

> 검찰개혁을 하는 데 법무부 장관이 가장 중요하다는 것은 말할 것도 없다. 그다음 중요한 인물은 검찰총장이다. 검찰을 안정화시키면서 개혁까지 해야 하는 것이 검찰총장이다. 그런데 참여정부의 검찰총장은 그렇지 못했다. 개혁성에 문제가 있었던 것이다.(111쪽) 대통령과 철학이 맞지 않아 장관과 마찰이 뻔히 예상되는 인사를 임명한 것은 검찰개혁에 큰 장애가 된다. 더구나 검찰총장이 검찰개혁에 전혀 의식이 없거나 오히려 검찰개혁을 검찰의 기득권 침해로 해석하고 적극 저항하는 경우에는 법무부 장관이 검찰개혁을 제대로 수행할 수가 없다.(112쪽)

윤석열은 "대통령과 철학이 맞지 않아 장관과 마찰이 뻔히 예상되는 인물"의 전형이다. 그뿐만 아니라 "검찰개혁에 전혀 의식이 없거나 검찰개혁을 검찰의 기득권 침해로 해석하고 적극 저항하는"

---

* 　문재인과 김인회 인하대 법학전문대학원 교수(참여정부 청와대 시민사회비서관)가 함께 노무현 정권에서 검찰개혁 실패 원인을 분석한 책이다. 강금실·천정배 법무부 장관과 이병완 대통령 비서실장, 이호철 민정수석 등 노무현 정권에서 검찰개혁을 추진한 인사들을 두루 인터뷰한 내용을 담고 있다.

검사였다. 문재인은 《JTBC》 대담에서 "(윤석열이) 서울지검장 시절에 이뤄지고 있던 검찰개혁 단계에서 반대하지 않았기 때문에 검찰개혁이란 면에서도 조국 장관과 협력할 수 있을 것이라 생각했다"라고 했는데, 매우 순진한 믿음이었다. 윤석열이 민주당과 철학이 맞지 않는 검사라는 평가는 이미 정치권과 법조계에 파다했다. 윤석열이 "난 사람에 충성하지 않는다"라는 발언으로 유명해진 2013년 10월 국회 국정감사에서 박지원 당시 민주당 의원은 윤석열과 이런 말을 주고받았다.

박지원: 윤석열 팀장은 전직 **모 대통령**에게 심한 표현을 한 적도 있고, 김대중 정부에서는 경찰청 정보국장을 구속한 바도 있고, 노무현 정부에서는 안희정, 강금원 등 노무현 대통령의 측근을 구속한 바도 있지요?

윤석열: 사실입니다.

박지원: 그런데 지금 이러한 국정원 수사를 제대로 하고 있기 때문에 좌파검사다 친민주당이다 하는 비판을 받는 것에 대해서 억울하게 생각하지요?

윤석열: 그 부분에 대해서는 제가 답변 드리기가 곤란합니다.

박지원이 언급한 "모 대통령"은 노무현이다. 노무현 정권 초 검찰인사를 비롯한 검찰개혁 방안—사법개혁추진위의 형사소송법 개정안 추진, 법무부 장관의 수사지휘권 발동 등—에 검찰은 '검사와의 대화', 평검사회의 개최, 총장 사퇴 요구 등의 집단행동을 보이며 집요하게 저항했다. 앞서 소개했듯 문재인은 "검찰을 장악하려 하지 않고 정치적 중립과 독립을 보장해주려 애썼던 노 대통령이 바로 그 검찰에 의해 정치적 목적의 수사를 당했으니 세상에 이런 허망한 일이 또 있을까 싶다"[24]라고 한탄한 바 있다. 박지원과의 문답에서 알 수 있듯 윤석열 역시 노무현 정권의 검찰개혁에 누구보다 강한 반감을 표한 인물이었다.

그러나 문재인은 '사람에 충성하지 않는다'는 윤석열에게 깊은 인상을 받은 모양이다. 그는 2013년 국정감사 직후 출간된《민간인 사찰과 그의 주인》*의 추천사에서 "사람이 희망입니다. 캄캄한 어둠 속에서 진실을 비추는 불빛들이 있습니다. 검찰의 **윤석열 같은 분**들입니다"[25]라고 치켜세웠다. 적어도 2013년의 문재인에게 윤석열은 '정의로운 검사'의 전형이었다. 지금은 어떨까?

---

* 《한국일보》법조팀 기자들이 이명박 정권에서 벌어진 민간인 불법사찰 사건을 취재한 내용을 정리한 책.

2

시간은
개혁의 편이
아니다

사법농단 사건의 피의자로
재판장에 들어서는 양승태 전 대법원장
(2019년 2월 26일).

삼성그룹 총수와
두 전직 대통령을 잡아넣은
윤석열 사단의 칼끝은 사법부를 향했다.
문재인 정권은 윤 사단이 보여준
칼맛에 취해 검찰개혁의
골든타임을 흘려보내고 있었다.

1

적폐청산의
달콤한 유혹

박근혜 정권의 몰락을 가져온 2016년 촛불집회는 진보와 중도는
물론 보수 성향의 시민까지 대거 참여한 '사회적 대연정'이었다.[1] 이
후 전개된 대통령 탄핵도 마찬가지다. 야3당은 물론이고 집권여당
인 새누리당 의원 62명과 여당 출신 무소속 의원 1명이 탄핵에 찬성
한 '정치동맹'이었다. 보수 정당이 대의를 위해 자기 당 출신 대통령
을 '읍참마속' 하는 결단을 내리지 않았다면 탄핵은 애초 불가능했
다. 탄핵 재판에서 검사 역할인 소추위원단 단장을 당시 국회 법사
위원장인 권성동 새누리당 의원이 맡았고, 같은 당의 장제원·윤한
홍 의원이 소추위원단으로 활동했다.

　헌법재판소의 탄핵 심판 또한 보수 성향 재판관들의 동의가 있
었기에 인용이 가능했다. 무엇보다 헌재 재판관 전원일치라는 결과

는 대통령 탄핵 심판에 부정할 수 없는 헌법적 정당성을 둘렀다.[*] 요 컨대 박근혜 대통령 탄핵은 이념과 진영을 망라한 정치적·사회적 합의이자, 헌법적 질서에 따라 결정된 민주적 정권교체의 모범 사례였다.

문재인 정권은 초기에 이러한 '촛불정신'을 의식해 진보·보수의 진영을 넘어 광범한 정치연합을 추구한 것으로 보인다. 2017년 5월 10일 문재인 대통령 취임사의 한 대목은 이렇다.

> 지금 제 머리는 통합과 공존의 새로운 세상을 열어갈 청사진으로 가득 차 있습니다. (…) 이번 선거에서는 승자도 패자도 없습니다. 우리는 새로운 대한민국을 함께 이끌어가야 할 동반자입니다. 이제 치열했던 경쟁의 순간을 뒤로하고 함께 손을 맞잡고 앞으로 전진해야 합니다. (…) 오늘부터 저는 국민 모두의 대통령이 되겠습니다. 저를 지지하지 않았던 국민 한 분 한 분도 저의 국민이고, 우리의 국민으로 섬기겠습니다. 저는 감히 약속드립니다. 2017년 5월 10일 이날은 진정한 국민 통합이 시작된 날로 역사에 기록될 것입니다. (…) 분열과 갈등의 정치도 바꾸겠습니다. 보수와 진보의 갈등은 끝나야 합니다. 대통령이 나서서 직접 대화하겠습니다. 야당은 국정운영의 동반자입니다. 대화를 정례화하고

---

[*] 헌법재판관 정원은 9명이지만, 박근혜 대통령 탄핵 재판 선고 당시 박한철 헌재소장이 임기를 마치고 퇴임한 상태여서 헌법재판관 8명(김이수, 조용호, 서기석, 이정미, 이진성, 김창종, 안창호, 강일원)이 만장일치로 탄핵을 결정했다.

수시로 만나겠습니다. 전국적으로 고르게 인사를 등용하겠습니다. 능력과 적재적소를 인사의 대원칙으로 삼겠습니다. 저에 대한 지지 여부와 상관없이 유능한 인재를 삼고초려해서 이를 맡기겠습니다.

하지만 이 취임사는 말잔치에 그치고 만다. 문재인 정권은 적폐청산을 내세워 야당을 '국정운영의 동반자'가 아니라 '제거해야 할 정적'으로 대했다. 적어도 탄핵에 동참한 세력은 국정의 파트너로 인정해야 했지만, 문 정권은 출범과 함께 "적폐의 철저하고 완전한 청산"을 제1호 국정과제로 천명하면서 그들과 확실하게 선을 그었다.

문재인 정권이 적폐청산을 들고 나온 것은 아이러니한 일이기도 했다. '적폐'를 정치적 기호로 처음 사용한 것은 박근혜 정권이기 때문이다. 박근혜는 2014년 4월 16일 세월호 참사가 발생한 뒤 이 사건의 원인으로 적폐를 지목하고 이를 척결하겠다는 의지를 다졌다. 그는 참사 후 10여 일이 지난 4월 29일 국무회의에서 "잘못된 적폐들을 바로잡지 못해 이런 일이 일어나 너무도 한스럽다. 과거로부터 이어온 잘못된 행태들을 바로잡고 새로운 대한민국의 틀을 다시 잡을 것"이라고 말했다.[2] 그러나 박근혜의 '적폐척결'은 집권 세력에 의해 '좌익세력 10년 적폐청산'으로 탈바꿈했다.[3] 세월호 참사 등으로 불거진 정권심판 여론을 모면하기 위한 꼼수였다. '적폐척결'의 집행에는 어김없이 검찰이 동원되었다. 검찰은 박근혜 정권을 비판하는 시민단체와 시민들을 선거법 위반 혐의를 씌워 괴롭혔다. 또 검찰의 치부를 들추는 과거사위원회에서 활동한 민변 소속 변호사들을 변호사법 위반(수임 규정 위반)으로 기소해 보복하기도 했다. 세월호 참사 2년 뒤인 2016년 4·13 총선 무렵에는 여당을 심판하려는 시민사회단체들을 선거법 위반으로 기소해 유죄 판결을 받아내는 등 '법 기술자'의 면모를 유감없이 발휘했다.

원칙도 공정성도
흔들린 수사

문재인 정권의 적폐청산에도 검찰이 동원됐는데, 그 규모와 강도는 박근혜 정권 때와 비교할 수 없을 정도로 크고 강했다. 2016년 11월 3일 최순실 구속으로 시작된 국정농단 수사는 이듬해 3월 31일 박근혜 구속으로 정점을 찍은 뒤에도 멈추지 않았다. '세월호 보고서 조작' '국가정보원 특수활동비 청와대 상납' '화이트리스트(대기업을 압박해 보수단체를 불법으로 지원한 의혹) 사건' 등 전 정권을 겨냥한 수사가 계속되었다. 문 정권 첫해에만 19건의 '적폐 수사'가 진행됐는데, 대부분 국정원이나 청와대가 검찰에 수사를 의뢰한 것이었다. 청와대 주도로 정부 부처마다 적폐청산 관련 위원회가 구성되었고, 여기서 걸러진 사건들이 검찰로 넘어왔다.

검찰의 화력도 여기에 집중되었다. 서울중앙지검 검사 247명 가운데 35%인 87명의 검사가 적폐 수사에 투입되었다. 일반 형사 사건을 전담하는 인원을 제외한 모든 검사가 총동원되다시피 한 것이다. 40명 안팎(대부분 박근혜·이명박 정권 인사들)을 대상으로 구속영장을 신청했고 줄잡아 70%가 구속되었다.[4] 적폐 수사의 야전사령관은 '박근혜-최순실 국정농단 사건 특검'(박영수 특검)에서 수사팀장을 맡고 있다가 서울중앙지검장으로 파격 승진한 윤석열이었다.

적폐 수사에는 최소한의 수사 원칙도 찾아볼 수 없었다. 2017년 11월 6일 '국정원 댓글 사건' 수사 방해 혐의로 구속영장이 청구된 변 아무개 검사가 영장실질심사를 앞두고 스스로 목숨을 끊는 일이 발생했다. 변 검사는 2013년 국정원에 법률보좌관으로 파견된 인물로, 당시 국정원이 댓글 사건의 수사와 재판에 대응하기 위해 꾸린 TF의 핵심 구성원이었다. 그런데 앞서 설명했듯, 국정원 댓글 사건은 2013년 윤석열이 용의자 체포 및 공소장 변경 등을 놓고 검찰 수뇌부와 갈등 끝에 수사팀장에서 쫓겨난 사건이다. 따라서 윤석열은 이 사건의 피해자였다. 피해자가 가해자 중 하나인 국정원에 대한 수사를 지휘한다면 공정성에 의문이 제기되기 마련이다. 이런 경우는 '제척 사유'에 해당하므로 수사지휘를 피하는 게 원칙이다.

변 검사 사망 직후 열린 국회 법사위에서 민주당까지 나서 공정성 문제를 지적했다. 금태섭 의원은 "당시 국정원의 수사 방해를 받은 검사들이 지금 다시 수사하는 것은 맞지 않는다. 윤 지검장 등은 사건 당사자이기 때문에 이 사건 수사를 회피해야 한다"라고 지적했다. 조응천 의원도 "특임검사 등 객관적으로 수사해야 공정성을 기할 수 있다"라고 했다. 검찰개혁이 핵심 국정과제인 정권의 청와대 민정수석실이라면 이런 지적을 받아들이고 문제를 바로 잡아야 했지만, 그런 일은 일어나지 않았다. 그 덕분에 윤석열은 여당 의원들의 지적에도 아랑곳없이 끝까지 이 수사를 지휘할 수 있었다.

변 검사의 죽음은 검찰 내부에 파문을 일으켰다. 현직 검사가 피의자 신분으로 조사를 받다가 극단적 선택을 한 것은 초유의 일이었다. '정권의 보복수사에 왜 검찰이 놀아나느냐'는 등의 적폐 수사에 대한 비판이 검찰 안에서 나오기 시작했다. 문무일 당시 검찰총장은 빈소를 방문한 자리에서 후배 검사들로부터 원망을 들어야 했다. 윤석열은 조문을 가지 않았다. 빈소에선 윤석열에 대한 검사들의 성토가 빗발쳤다. 윤석열은 2019년 7월 8일 자신의 검찰총장 인사청문회에서 자유한국당(현 국민의힘) 장제원 의원이 "윤석열은 잔인한 검사"라고 공격하자, "정말 하기 싫은 수사였다. 그때 너무 가슴이 아파서 한 달 동안 앓아누웠다"라고 말했다.

이 사건은 검찰 안에서 적폐 수사의 '출구전략'이 거론되는 계기가 되었다.[5] 문무일은 한 달 뒤인 12월 5일 기자간담회에서 "수사가 본래 그 기한을 정하기는 어렵지만, 올해 안에 주요 부분 수사를 마무리하기 위해 최선을 다하고 있다"라며 "올해 안에 적폐청산 관련 주요 수사를 마무리하고 내년에는 민생사건에 더 집중하겠다"라고 말했다. 그는 "사회 전체가 한 가지 이슈에 너무 오래 매달리는 것도 사회 발전에 도움이 안 된다는 생각"이라는 말도 덧붙였다. 최고 사정기관의 장으로서 충분히 할 수 있는 말이었다. 그러나 문무일의 발언은 곧바로 적폐사건 수사팀에 반박당한다. 그 직후 서울중앙지검 수사팀에서 "연내까지 수사 마무리는 불가능하다"라고 부정한 것이다. 일개 수사팀이 검찰 수장의 뜻을 정면으로 거스르는 메시지를 낸 것이다. 검찰 안팎에선 문무일과 윤석열의 갈등설이 불거지기 시작했다.

칼로 이룬 복수
칼로 이긴 선거

청와대 역시 "연내 수사를 마무리하는 것은 불가능하다"라며 윤석열의 손을 들어줬다. "문 총장의 발언은 적폐 수사에 속도를 내겠다는 의미"라는 아전인수식의 해석을 붙이기도 했다. 여당에서는 대놓고 문무일을 비난했다. "적폐 수사로 피곤하면 검찰총장 그만두면 된다." "그 자리 그냥 내놓고 가면 다른 할 사람 많다."⁶ 사실 청와대와 여당의 이런 반응에는 이유가 있었다. 이명박이 연루된 '다스 비자금 사건' 수사가 검찰에서 막 시작되고 있었기 때문이다.

이명박은 민주당, 특히 친노·친문 진영의 철천지원수다. 자신들의 주군인 노무현을 온갖 '망신 주기' 끝에 죽음으로 내몬 장본인이기 때문이다. 노무현의 죽음 이후 와신상담하던 친노·친문에게 박근혜 대통령 탄핵은 하늘이 내린 기회였다. 10년 만에 정권을 되찾은 그들은 복수를 별렀다. 때마침 자동차 부품업체 다스의 실제 소유주가 이명박이라는 의혹이 재점화되고, 적폐 수사를 맡은 서울중앙지검이 수사에 나서면서 한풀이가 눈앞으로 다가오고 있었다. 그런 차에 문무일이 "적폐 수사 연내 마무리" 운운하며 속을 뒤집어 놓은 것이다.

2007년 12월 대선 정국에서 불거진 '다스 실소유주 문제'는 이명박의 최대 아킬레스건이었다. 당시 검찰은 "다스가 이명박의 것이라는 증거가 발견되지 않는다"라며 횡령 의혹 등을 모두 무혐의 처리했고, 이명박은 무난히 대통령에 당선되었다. 그러나 2018년 윤석열-한동훈 휘하의 수사팀은 10년 전 수사팀과는 정반대로 "다스의 실소유주는 이명박"이라고 결론을 내렸다. 검찰은 횡령과 뇌물 수수 등의 혐의로 이명박의 구속영장을 청구했고, 3월 22일 법원은 영장을 발부했다. 친노·친문 진영의 숙원이 해결된 순간이었다. 청와대는 "스스로에게 가을 서리처럼 엄격하겠다는 다짐을 깊이 새긴다"라며 짐짓 '표정관리'를 했다.[7]

두 전직 대통령을 잡아넣은 검찰의 기세는 하늘을 찔렀다. 수사 방식도 더욱 거칠어져 갔다. 적폐 수사 대상에 오른 이들은 법원 판결이 나기도 전에 범죄자로 대접받았다. 피의자들이 검찰에서 받은 모멸감은 차마 남에게 말을 꺼내기가 민망할 정도였다. 강압 수사 관행이야말로 개혁의 대상이건만, 적폐 수사에서는 아무런 문제가 되지 않았다. 결국 전 정권 인사가 극단적 선택을 하는 일이 또다시 반복되었다. 세월호 참사 당시 민간인을 사찰한 혐의(직권남용권리행사방해)로 검찰 수사를 받던 이재수 전 기무사령관이다.

앞서 검찰이 청구한 이재수의 구속영장은 법원에서 기각되었다. 그러나 검찰은 그를 소환하면서 포토라인에 세웠을 뿐만 아니라, 영장실질심사 때는 수갑까지 채웠다. 제 발로 영장실질심사를 받으러 나왔으니 도주 우려가 없다고 보는 게 합리적인데도 검찰은 막무가내였다. 장군 출신인 이재수는 이때 큰 굴욕을 느꼈고, 결국 영장이 기각된 지 나흘 만인 2018년 12월 7일 극단적인 선택을 하고 말았다. 그는 "세월호 유족에게 한 점 부끄러움 없이 일했다"라고 밝힌 유서를 남겼다.[8] 2년여가 지난 2021년 1월 검찰 세월호참사특별수사단은 이 전 사령관이 연루된 '유가족 불법 사찰 의혹'이 사실이 아니라고 결론 내리고 무혐의 처분했다.

이재수 전 사령관의 죽음이 전해지자 야당은 적폐 수사를 "노골적 정치보복"으로 규정하며 즉각 중단을 요구했다. 그러나 문재인 정권의 적폐청산 드라이브는 좀처럼 멈출 줄 몰랐다. 문 정권으로서는 합리적 선택이었다. 적폐청산 수사가 여론의 광범한 지지를 받고 있었기 때문이다. 한국갤럽이 《JTBC》 의뢰로 조사한 설문조사(2018년 1월 2일 발표)를 보면, 이명박·박근혜 정권에 대한 수사를 정치보복으로 본다는 응답은 22.5%에 불과했고, 67.4%는 적폐청산으로 생각한다고 답했다.[9] 적폐청산에 대한 여론의 지지는 2018년

6·13지방선거에서 여당의 압승으로 이어졌다. 선거 결과 더불어민주당은 광역자치단체장 17곳 가운데 14곳, 기초자치단체장 226곳 중 151곳을 휩쓸었다. 또 같은 날 치러진 국회의원 재·보궐 선거에서도 12석 가운데 11석을 차지했다. 적폐 수사는 문재인 정권에 효자 노릇을 톡톡히 하고 있었다.

승승장구하던 검찰은 또 다른 사냥감을 찾고 있었다. 전직 대통령을 한꺼번에 둘이나 구속한 마당에 웬만한 대상은 윤석열 사단의 성에 차지 않았다. 검찰이 이 나라에서 제일 막강한 집단이라는 사실을 만천하에 과시할 수 있는 타깃이어야 했다. 때마침 적당한 사냥감이 나타났다. 바로 양승태 전 대법원장을 비롯한 법원행정처 고위간부들이었다.

2

윤석열 사단에
포획되다

'윤석열 사단'에 속한 검사들은 윤석열 못지않은 검찰주의자들이다. 이들에게 검찰권은 단순히 형사처벌 차원의 권력이 아니다. 검찰권은 정의를 실현하는 수단이자 사회를 바꿀 수 있는 힘을 가진 신성한 권력이다. 이러한 권력을 가진 검찰은 당연히 최고의 엘리트 집단이어야 하고, 또 그만한 대접을 받아야 한다고 생각한다. 개인의 영달을 위해 정치 권력이나 재벌에 굽신거린 검찰 선배들은 이들에게 혐오의 대상이었다.

윤석열 사단은 검찰의 오랜 치부인 '재벌 봐주기'로부터 비교적 자유로웠다. 삼성·현대·SK·롯데 등 내로라하는 대기업 총수 일가가 모두 윤 사단의 수사 대상이었고, 거의 예외 없이 형사처벌을 받았다. 재벌 수사는 그동안 검찰에 '뜨거운 감자'였다. 대기업에 국가의 자원이 집중되면서 그 기업 집단의 대주주인 재벌은 정치권을 비롯한 사회 전반에 영향력을 행사했고 적잖은 사법적 혜택을 누렸다. 그 가운데서도 삼성은 유별났다. '삼성공화국' '삼성장학생'이란 말이 나올 정도로 한국 사회 곳곳에 촘촘한 인적 네트워크를 구축하고 이들을 통해 막강한 영향력을 행사했다. 검찰도 마찬가지였다. 검찰 주요 간부 가운데 상당수가 삼성장학생이었고, 이들은 삼성 총수 일가에 대한 수사를 뭉개거나 회피했다.[*]

'삼성 에버랜드 전환사채 헐값 매입 사건'이 대표적이다. 삼성의 총수 이재용은 1996년 삼성 에버랜드가 발행한 전환사채를 헐값에 사들여 세금 한 푼 내지 않고 삼성그룹의 경영권을 승계했다. 이 과정은 배임 논란을 일으켰고, 2000년 6월 당시 방송통신대 교수 곽노현(전 서울시교육감) 등 법학교수 43명은 이건희 당시 회장 등 삼성그룹 관계자 33명을 검찰에 고발했다. 하지만 검찰은 3년 뒤인 2003년 4월에서야 수사를 시작한다. 사건을 배당받은 검찰 간부들이 수사를 차일피일 미뤘기 때문이었다.

당시 검찰총장 송광수는 노무현 정권 초기 불법대선자금 수사를 '성역 없이' 지휘하며 안대희 대검 중수부장과 함께 '국민검사'라는 명성을 얻었다. 하지만 삼성에 대한 수사에는 시큰둥한 태도로 일관

[*] 삼성의 검찰 관리 실상은 2007년 11월 삼성 법무팀장 출신 김용철 변호사의 양심 선언으로 세상에 알려졌다. 구체적 사례는 그가 쓴 《삼성을 생각한다》(2010)에 잘 정리되어 있다.

했다.[*] 신상규 당시 서울중앙지검 3차장과 채동욱 특수2부장이 전임자들과 달리 에버랜드 수사를 적극적으로 진행하자 이를 못마땅하게 여길 정도였다. 관련자들을 기소하겠다는 수사팀의 보고에 송광수는 대검 연구관들에게 수사기록을 검토하도록 지시했다. 검토해서 문제가 없으면 결재하겠다는 취지였지만 수사팀으로서는 자존심 상하는 조처였다. 연구관들은 신상규·채동욱보다 아래 기수였고, 수사 경험도 부족했기 때문이다. 결국 신상규가 "기소를 하지 못하면 사표를 쓰겠다"라며 강하게 반발한 끝에 공소시효 만료 직전 에버랜드의 전·현직 사장인 허태학과 박노빈을 기소할 수 있었다. 덕분에 이들과 공범인 이건희·이재용 부자를 수사할 수 있는 가능성이 열리게 된다. 대법원 판례(대법원 2012도4842)에 따르면 공범 가운데 한 명이라도 기소될 경우 나머지 공범의 공소시효는 모두 정지되기 때문이다.

그러나 수사팀이 검찰 수뇌부에 맞선 대가는 컸다. 이후 정기인사에서 신상규는 안산지청장으로, 채동욱은 서산지청장으로 쫓겨났다. 원래 서울중앙지검 3차장은 검사장 승진이 예약된 핵심 보직이지만, 신상규는 안산에서 1년을 더 기다린 뒤 검사장이 될 수 있었다. 수사 실무를 지휘했던 채동욱은 더 큰 타격을 받았다. 서울중

---

[*] 김용철 변호사는 송광수가 삼성에게 '떡값'을 받은 고위 검찰 간부 중 한 명이었다고 폭로했다. 하지만 삼성 비자금 사건을 수사한 조준웅 특검은 '증거가 없다'며 송광수 등은 무혐의 처분했다.

앙지검 특수2부장은 이후 특수1부장 또는 법무부나 대검으로 이동하지만, 채동욱은 서산에서 부산고검을 거쳐 검찰 업무와 무관한 부패방지위원회 등지로 나돌다가 2006년에서야 대검 수사기획관으로 복귀할 수 있었다. 채동욱의 좌천은 일종의 시범 케이스로, 이후 삼성 관련 사건을 맡은 검사들은 더욱 몸을 사리게 된다.

윤 사단과 삼성의
질긴 인연

이런 분위기에 주눅 들지 않는 검사가 등장한다. 윤석열 사단의 핵심 멤버이자 훗날 윤 정권의 첫 검찰총장이 되는 이원석이다. 이원석은 2005년 서울중앙지검 금융조세조사부(금조부)로 발령받은 뒤 에버랜드 사건의 주임검사를 맡았다. 앞서 송광수는 이 사건을 수사력이 센 특수부에서 금조부로 넘겨버렸는데, 결과적으로 이건희 일가에는 악수였던 셈이다.

2005년 10월 1심 재판부가 에버랜드 전·현직 사장들에게 유죄를 선고하면서, 검찰은 주범인 이건희 부자를 수사할 수밖에 없게 된다. 그러나 이때까지만 해도 검찰 수뇌부는 의지를 보이지 않았다. 수사팀에 검사 2명을 추가 파견하는 등 지원하는 시늉을 했지만, 정작 이원석이 이건희 회장의 출국금지를 요청할 땐 이를 승인하지 않은 것이다.

이건희는 그보다 앞선 2005년 '삼성 X-파일 사건'*이 터지자 해외로 출국한 뒤 수사에 응하지 않았다. 수사팀은 '이건희 소환'을 포기하고 서면 조사를 진행했지만 제대로 이뤄질 리 없었다. 결국 이건희는 무혐의 처리되었고, 사건이 마무리된 2006년 2월에 귀국한다. 언론은 '삼성 앞에만 서면 작아지는 검찰'이라고 빈정거렸다. 이를 지켜본 이원석은 에버랜드 사건에서 이건희를 직접 조사하기 위해 전력을 다한다. 그러나 전 단계인 참고인 조사에서부터 삼성 관계자들은 이런저런 핑계를 대며 비협조적으로 나왔다. 이원석은 "검찰에 나오지 않으면 체포영장을 청구하겠다"라고 으름장을 놓았지만, 이건희는 끝내 조사하지 못한 채 인사이동에 따라 수사팀을 떠나야 했다.

이원석과 삼성의 인연은 2007년 '삼성 비자금 사건'에서 다시 이어진다. 이 사건을 촉발한 김용철 변호사의 양심선언을 수사하기 위해 구성한 특별수사·감찰본부(삼성특본)에 파견된 것이다. 박한철 검사장(제5대 헌법재판소장)이 본부장을 맡은 특본 수사팀은 김수남 차장(41대 검찰총장), 김강욱 부장, 강찬우 부장, 윤석열 부부장, 이원곤 부부장, 윤대진 검사 등 쟁쟁한 라인업을 자랑했지만 별다른 성과를 내지 못했다. 특수부 검사 출신인 김용철 변호사는 이를 이렇게 분

---

* '안기부 도청 사건'이라고도 한다.《MBC》가 1990년대 중후반 안기부에서 만든 도청 자료를 입수해 폭로한 사건. 당시 삼성과 정치권·검찰 등의 유착 관계가 널리 알려지는 계기가 되었다.

석한다.[10]

수사 일선에 있는 검사들과 지휘부 사이에서 상당한 이견이 엿보였다. 수사검사들과 달리, 지휘부에는 수사 의지가 없었다. 특본 발족은 여야 합의로 특검법이 통과될 것이 확실해지자 검찰의 체면 때문에 급조된 꼼수에 불과했던 것이다. (…) 특본 수사검사들은 1조 원 이상의 비자금만 밝히면, 삼성 비리 핵심 피의자의 신병처리가 불가피하다고 봤다. 이렇게 되면 삼성 측이 검찰 간부들에 대한 뇌물 명단을 거꾸로 들이밀며 협박성 협상을 해올 것으로 기대했다. 이런 과정을 거쳐 부패 검사들이 자연스럽게 숙정될 수 있으리라는 게 당시 수사검사들이 내심 품고 있던 생각이었다. 그러나 검찰 수뇌부는 수사검사들의 이런 의도를 손바닥처럼 내려다보고 있었다. 자리 보전을 위한 기술에 있어서는 수뇌부가 수사검사들보다 몇 수 위였던 것이다. 삼성에 대한 수사가 자신들에게 부메랑이 돼 돌아올 가능성을 예견했던 수뇌부는, 적절히 수사를 통제했다.

검찰 내 삼성장학생의 실체가 드러나는 걸 바라지 않은 검찰 수뇌부의 방해로 특본 수사가 실패했다는 말이다. 김용철이 언급한 "수사 의지가 있는" 검사들은 윤석열, 윤대진, 이원석이다. 이들은 '떡값 검사' 명단을 공개한 김용철을 '배신자' 취급한 검찰 간부들과 달랐다. 오히려 김용철을 이용해 검찰 내 '삼성장학생'을 정리하고,

한국 사회의 성역인 삼성을 제대로 수사하고자 했다. 하지만 이들의 바람은 이뤄지지 않았다. 특검법이 국회를 통과하면서 조준웅 특별 검사가 이끄는 삼성 특검팀에 사건을 넘겨야 했기 때문이다.

조준웅 특검은 삼성특본 수사팀 검사 가운데 '떡값 검사' 수사에 열의를 보인 이들을 뺀 나머지 검사들을 파견받았다. 삼성의 로비 의혹은 아예 수사하지 않겠다는 의도였다. 그 덕분에 검찰의 삼성장학생들은 무사할 수 있었다. 조준웅 특검은 "(떡값 관련) 진술이 오락가락한다"라며 김용철을 오히려 거짓말쟁이로 몰았다. 특검팀은 수사가 불가피한 에버랜드 관련 부분만 기소해 이건희 회장을 법정에 세웠지만, 그마저도 2009년 5월 대법원 전원합의체에서 6 대 5로 무죄 판결이 내려졌다.

윤 사단은 7년 뒤인 2016년 다시 삼성과 맞닥뜨린다. 이들은 그해 11월에 터진 '박근혜-최순실 국정농단 사건'을 계기로 삼성 총수일가의 아킬레스건인 경영권 불법 승계 의혹을 정면으로 겨냥했다. 이원석과 한동훈(윤 정권의 첫 법무부 장관), 이복현(첫 금감원장) 등 윤석열의 측근들은 국정농단 사건 수사를 시작으로 문재인 정권 5년간 이재용을 끈질기게 물고 늘어졌다.

국정농단 수사는 '윤 사단 시대'의 개막을 알렸다. 이들은 이 사건의 핵심 인물인 박근혜와 이재용에 대한 수사를 성공시킴으로써 검찰 안팎에 존재감을 과시했다. 검찰은 《JTBC》의 '최순실 태블릿 PC' 특종 보도 직후 특별수사본부(특수본)를 구성했는데, 당시 이원석은 서울중앙지검 특수1부장으로 특수본 수사를 주도했다. 국정 농단 수사의 바통을 이어받은 박영수 특검팀의 주력도 윤 사단이었다. 수사팀장을 맡은 윤석열을 비롯해 한동훈과 이복현, 신자용(윤 정권의 첫 법무부 검찰국장), 양석조(서울남부지검장), 고형곤(서울중앙지검 4차장), 김영철, 박주성 등이 특검팀에 포진했다.

이재용 구속의
두 가지 의미

삼성의 디펜스도 만만찮았다. 2016년 12월 초 이재용의 변호인단에서 박영수 특검에게 이재용의 출국 가능 여부를 물어왔다. 도널드 트럼프 당시 미국 대통령 당선자가 애플과 구글 등 글로벌 빅테크 기업 총수들과 만나는 자리에 이재용도 초대되었다는 것이다. 박영수는 윤 사단을 포함한 20여 명의 수사팀 검사들에게 의견을 물었다. 이들은 이구동성으로 불가를 외쳤다. 만에 하나라도 귀국하지 않으면 X-파일 사건 때처럼 수사가 힘들어진다는 이야기였다.

박영수는 당시 검찰 선배들로부터 '이재용의 출국을 허가해야 한다'는 압박을 받고 있었다. 전직 검찰총장 등 박영수가 무시할 수 없는 이들 검찰 인맥은 수사 기간 내내 삼성의 로비스트 구실을 했다. 이들은 '트럼프의 초대는 삼성의 반도체 사업에 좋은 기회이자 국익에도 도움이 되기 때문에 이재용의 방미를 허가해야 한다'고 주장했다. 또 '국정농단 수사의 본류는 박근혜 정권의 불법행위이지, 삼성이 아니지 않느냐'는 논리도 폈다. 그러나 박영수는 이재용의 변호인 쪽에 '출국 불허'를 통보하고 곧바로 법무부에 출국금지를 요청했다. 이재용을 뇌물 혐의로 처벌하겠다는 의지를 공식화한 것이다.

삼성 쪽은 '대통령의 협박에 못 이겨 최순실의 딸 정유라에게 승마훈련 등을 지원했다'고 항변했다. 경영권 승계나 사업상 혜택을 바란 게 아니기에 뇌물죄가 성립되지 않는다는 논리였다. 하지만 특검팀은 다른 재벌 기업들이 미르·K스포츠 재단 출연금을 내는 데 그친 것과 달리, 삼성은 별도로 최순실 쪽을 지원한 것을 수상히 여겼다.

이재용에 대한 수사는 순탄치 않았다. 특검팀이 청구한 이재용의 첫 번째 구속영장은 2017년 1월 19일 법원에서 기각되었다. "이재용의 뇌물공여 혐의에 대한 소명이 부족하다"라는 이유였다. 특검팀은 이재용의 경영권 승계에 꼭 필요한 삼성물산-제일모직 합병에 최대주주인 국민연금이 찬성한 것과 삼성이 미르·K스포츠 재단 등에 지원한 것에 대가 관계가 있다고 주장했지만, 영장전담판사는 대가성이 불분명하다고 판단한 것이다.

특검팀은 비상이 걸렸다. 영장 기각 사유대로 이재용을 뇌물죄로 구속할 수 없다면 박근혜를 처벌하는 것도 난망했다. 면책특권을 가진 현직 대통령을 형사처벌하려면 먼저 탄핵(파면)해야 한다. 그러자면 헌법재판소의 보수 성향 재판관까지 설득할 만한 중대한 범죄 행위가 있어야 했다. 태극기부대가 헌법재판소 일대에서 연일 탄핵 반대 집회를 여는 상황에서 특검이 끝내 이재용 구속에 실패한다면 보수 진영을 중심으로 무리한 수사라는 비난이 일어날 게 뻔했다. 더구나 여론에 민감한 헌재가 만에 하나라도 탄핵을 기각한다면 특검팀은 수사 동력을 상실할 상황이었다.

박영수는 영장기각 당일 새벽에 4명의 특검보들을 소집했다. 이재용의 영장 재청구 여부를 결정하기 위한 회의였다. 특검보들의 입장은 영장 재청구와 불구속기소로 팽팽히 갈렸다. 불구속기소를 주장한 쪽은 '공소장을 통해 이재용의 혐의를 언론에 공개하면 이재용에 대한 여론이 달라질 것'이라는 논리를 폈다. 당시 여론은 박근혜 수사에는 압도적 지지를 보냈지만, 이재용의 경우는 그렇지 않았다. 따라서 이재용의 혐의가 알려지면 상황이 바뀔 거라는 판단이었다. 반면 영장 재청구를 주장한 쪽은 '이재용을 구속하지 못하면 박근혜 수사도 사실상 불가능하게 될 것'이라고 반박했다.

박영수는 이틀 뒤 회의를 다시 소집했다. 특검팀의 흥분을 가라앉히기 위해 냉각기를 가진 것이다. 다시 소집된 회의에서 특검보들은 영장재청구로 의견을 모았다. 삼성 쪽이 정유라의 승마훈련을 지원한 것과 관련해 추가 증거를 잡았는데, 이를 토대로 뇌물죄를 적용할 수 있다는 판단이었다.[*] 결국 첫 번째 영장이 기각된 지 29일 만인 2017년 2월 17일 법원은 이재용에 대한 구속영장을 발부한다.

영장전담판사는 "새롭게 구성된 범죄혐의사실과 추가로 수집된 증거자료 등을 종합할 때 구속의 사유와 필요성이 인정된다"라고 밝혔다.

특검팀의 이재용 구속은 두 가지 의미를 내포했다. 첫째, 헌재가 '박근혜 탄핵'을 인용할 가능성을 크게 높였다. 아무리 보수적인 헌법재판관일지라도 뇌물을 받은 대통령을 그대로 둘 순 없는 노릇이었다. 둘째, 삼성그룹 총수를 구속함으로써 그간 '삼성 앞에만 서면 작아지는 검찰'이란 오명에서 벗어나게 된 것이다. 이후 이재용은 문재인 정권 내내 검찰과 법원을 들락거려야 했다. 윤석열 정권이 들어선 2022년 8월, 이재용은 국정농단 사건과 관련해서는 사면을 받았지만, 경영권 불법 승계 의혹 재판이 남아 있어 매주 법원에 출석해야 했다.

---

* 특검팀은 삼성이 최순실을 우회적으로 지원하고 양쪽의 계약 내용을 은폐하기로 합의한 추가 물증을 확보했다. 특검팀은 최순실의 딸 정유라의 승마훈련 지원 업무를 담당한 황성수 삼성전자 전무 겸 대한승마협회 부회장의 전자우편에서 최 씨와 맺은 비밀 계약 문건을 확보했다. 여기에는 삼성 측이 최 씨와의 관계를 은폐하기 위해 2015년 8월 맺은 정유라 승마훈련 지원 계약을 파기하고 비밀리에 3자 계약을 맺는 방식으로 새로운 지원을 약정한 내용이 담겨 있었다. 특검팀은 삼성 측이 당시 수십억 원에 이르는 말 '블라디미르'를 최 씨에게 사주고 이를 숨기기로 한 흔적도 확보했다. 특검팀은 이를 증거로 제시한 뒤 '이 부회장 쪽이 박 대통령의 강요에 의해 돈을 빼앗긴 피해자라면 이렇게 적극적으로 금전적 이익을 주려 하거나 최 씨와의 관계를 은폐하려 할 이유가 없다'며 뇌물죄의 정황에 해당한다고 주장했고, 법원도 이를 받아들였다. 〈이재용 영장발부…삼성 총수 첫 구속〉, 《한겨레》, 2017. 2. 17.

검찰이 삼성을 비롯한 재벌에 포획된 데는 검찰의 뿌리 깊은 전관예우 관행이 있었다. 검찰 출신 변호사가 재벌 사건을 수임한 뒤 후배 검사에게 청탁을 하고, 후배 검사는 이를 들어주는 대가로 재벌의 '관리'를 받는다. 요컨대 전관예우는 법조 생태계의 먹이사슬이자, 재벌이 검찰에 행사하는 영향력의 열쇠다.

그런데 윤석열 사단은 이런 전관예우 관행을 탐탁잖게 여겼다. 2020년 6월 이재용 수사 때의 일이다. 서울중앙지검 경제범죄형사부는 자본시장법 위반 혐의로 이재용의 구속영장을 청구했다.[11] 그런데 그에 앞서 검찰 출신인 이재용의 변호사가 당시 경제범죄형사부 부장 이복현에게 일부 혐의를 빼달라는 청탁을 해왔다. 거절하기 어려운 부탁이었다. 그 변호사는 이복현과 대검 중수부에서 동고동락한 선배인 데다가, 들어주지 않는다면 검찰 내에서 버릇없거나 건방지다는 평판을 듣기 십상이었다. 그런데 이복현은 선배 변호사의 청탁을 거절했을 뿐만 아니라 언론에 이를 공개하기까지 했다.[12] 법원이 이 부회장의 구속영장을 기각하는 바람에 멋쩍게 된 구석이 있지만, 이복현의 처신은 전관예우 관행에 경종을 울린 행동으로 회자되었다. 이처럼 윤석열 사단은 검찰 안에서 '별종'이었다.

윤 사단, 사법부를 겨냥하다

2017년 2월 이탄희 당시 수원지법 안양지원 판사는 법관 정기인사에서 법원행정처 심의관으로 발령이 났다. 사법부의 행정업무를 전담하는 법원행정처는 전국 판사 3000여 명 가운데 30여 명만 갈 수있는 엘리트 코스다. 이탄희는 법원행정처 간부에게 전화를 걸어'열심히 하겠다'라는 각오를 밝혔다. 하지만 그는 발령 일주일 만에사직서를 냈고, 그로부터 나흘 뒤에는 안양지원으로 복귀했다. 일선판사가 요직을 마다하고 사표를 썼다가 원대 복귀한 것은 전례가없었다. 뒤숭숭하던 법원은 얼마 안 가 발칵 뒤집힌다. 이탄희는 법원행정처가 자신이 회원으로 있는 법원 내 국제인권법연구회의 활동에 부당하게 개입했다고 보고, 이에 대한 반발로 사직서를 낸 것이었다.

이 사건은 법원행정처가 판사들의 성향 등을 파악해 관리했다는'사법부 블랙리스트' 의혹으로 번졌다. 판사들의 거센 반발에 대법원은 세 차례에 걸친 진상조사를 벌였지만 의혹이 해소되기는커녕법원행정처가 일선 재판에까지 개입한 걸로 보이는 문건이 발견되었다. 이른바 '양승태 대법원 사법농단 사건'의 서막이었다. 때마침한국 사회를 휘저은 적폐청산 여론은 사법부를 향하기 시작했다. 법원에서도 젊은 판사를 중심으로 검찰 수사가 불가피하다는 목소리가 나오기 시작했다. 20건 넘는 고발장이 검찰에 접수되었다. 결국김명수 대법원장은 2018년 6월 15일 대국민담화를 통해 "검찰 수사가 진행될 경우 모든 조사 자료를 제공하겠다"라며 적극적인 수사 협조 의사를 밝혔다.

그러나 대법관들은 김명수의 담화문에 강하게 반발했다. 3차 조사단 단장 안철상 법원행정처장을 포함한 대법관 13명 전원은 대법원장의 대국민담화 직후 입장문을 내어 "재판 거래 의혹은 근거 없는 것임을 분명히 밝힌다. 국민에게 혼란을 주는 일이 더 이상 계속되어서는 안 된다"라고 밝혔다. 앞서 2018년 6월 7일 전국법원장간담회에서도 "합리적 근거 없는 '재판 거래' 의혹 제기에 깊이 우려한다"라며 "재판 거래는 없다"라는 입장이 나왔다. 재판이 거래의 대상이 될 수 있음을 인정하는 것은 판사로서 존재 가치를 부정하는 일이라는 점을 감안하더라도 고위 법관들의 반발은 부담스럽게 다가왔다. 여권에서는 '대법원장이 결단해서 재판 거래 의혹에 연루된 판사들을 자체 징계하고 재발 방지 대책을 마련하는 선에서 매듭지어야 한다'는 조언이 나왔다. 하지만 청와대는 '검찰 수사에 개입하지 않는 게 원칙'이라는 말만 반복했다.

적폐 수사로 기세가 오를 대로 오른 윤석열 사단에 대법원장의 수사 협조 발언은 호재였다. 검찰이 최고의 권력기관이자 진정한 '정의의 사도'로 등극하려면 법원을 손봐줄 필요가 있었다. 재판 거래 의혹은 법원에 매운맛을 보일 좋은 기회였다. 그간 윤석열 휘하의 수사팀은 적폐 수사 과정에서 법원의 엄격한 영장심사에 노골적으로 반감을 드러냈다. 영장심사는 헌법이 법관에 부여한 권한으로 검찰권을 견제한다. 구속 상태에서 조사를 받는 사람은 심리적으로 크게 위축되기에 방어권을 행사하는 데 불리하다. 검찰은 이런 점을 노려 최대한 피의자를 구속하려고 한다. 그래야 원하는 대로 수사를 진행할 수 있기 때문이다.

영장심사 결과에 검찰이 공개적으로 반발하는 것은 부당하다. 하지만 적폐수사에 대한 정권과 여론의 지지를 등에 업은 윤석열 사단은 거칠 것이 없었다. 2018년 3월 서울중앙지검은 박근혜 정권의 군 대선개입 수사 은폐 의혹을 받은 김관진 전 국방부 장관의 구속 영장을 법원이 기각한 것에 대해 "영장판사의 결정은 지극히 비상식적이고 사안의 진상을 전혀 이해하지 못한 결정으로 도저히 납득하기 어려운 결정"이라는 내용의 문자메시지를 출입기자들에게 돌렸다.[13] 판사에게 "사안의 진상을 이해하지 못했다"라고 한 것은 극히 도발적인 표현이다. 판사에게 사안(사건)의 진상을 이해시킬 책임은 검사에게 있다. 검사가 수사를 잘해서 구속의 필요성을 제시하면 영장 발부를 안 할 도리가 없다. 판사가 사건의 진상을 이해하지 못했는데도 신체의 자유를 제한하는 구속영장을 발부하는 것이 더 문제다.

2019년 5월 나란히 서울중앙지검장과 3차장에 취임한 윤석열-한동훈 체제에서 검찰의 반발은 더욱 일상화했다. 그해 9월 서울중앙지검은 '국정농단 사건 등에 대한 일련의 영장기각 등과 관련된 입장'을 발표했다. 검찰은 "지난 2월 말 중앙지법에 새로운 영장전담 판사들이 배치된 이후 주요 국정농단 사건을 비롯한 국민 이익과 사회정의에 직결되는 핵심 수사의 영장들이 거의 예외 없이 기각되고 있다. 국민들 사이에 법과 원칙 외에 또 다른 요소가 작용하는 것이 아닌가 하는 의구심도 제기되고 있다"라고 주장했다.

서울중앙지검은 이후에도 주요 사건 피의자의 구속영장이 기각될 때마다 "납득하기 어렵다" "이해하기 어렵다" "비상식적이다" "판사가 사안을 이해하지 못한다"라는 등의 자극적인 표현을 동원해 법원을 비난했다. 영장이 기각되면 영장을 재청구하거나, 불구속 상태로 기소한 뒤 재판에서 유죄 판결을 받아내면 될 일인데도 검찰은 마치 구속영장 발부에 목숨이라도 건 듯 격렬하게 반발했다.

검찰의 흑역사,
론스타 사건

윤석열-한동훈의 법원에 대한 반감은 그 뿌리가 깊다. 두 사람은 2006년 대검 중수부에 있으면서 당시 정상명 검찰총장이 이끄는 '론스타 사건'(외환은행 불법매각 의혹 사건) 수사에 참여했다. 정상명은 노무현 대통령의 사법연수원 동기로 실세 총장이었다. 앞서 그의 지휘 아래 진행된 '현대차 비자금 사건' 수사에서 정몽구 회장을 구속기소해 유죄 판결을 받아낸 터라 대검 중수부의 기세는 하늘을 찔렀다. 대검 중수부가 총동원된 론스타 사건 수사는 참여 인력만 해도 검사 20여 명을 포함해 100여 명에 달했고, 현직 감사원장을 비롯해 전·현직 부총리 겸 재정경제부 장관 5명 등 연인원 630여 명이 조사를 받았다. 2003년 불법대선자금 사건 이후 최대 규모의 수사였다. 하지만 대검 중수부는 이 사건에서 유례없는 망신을 당하게 된다. 이전까지 '영장기각률 0%'를 자랑하던 대검 중수부가 청구한 체포·구속영장이 12차례나 기각되었을 뿐만 아니라, 기소된 변양호 전 재정경제부 금융정책국장과 이강원 전 외환은행장이 1·2·3심에서 모두 무죄를 선고받았다. 검찰의 화력을 총동원했지만, 건진 게 거의 없었다.

이런 수모는 수사의 첫 단추를 잘못 끼운 탓이 컸다. 이 수사는 검찰이 전가의 보도처럼 써먹던 '별건 수사'의 문제점을 적나라하게 드러냈다. 대검 중수부는 2006년 6월 변양호를 뇌물수수 혐의로 긴급체포했다. 그가 당시 워크아웃 중이던 아주금속과 위아를 현대차가 인수할 수 있도록 도와주는 대가로 2억 원을 받은 혐의였다. 그에게 현대차의 돈을 건넨 로비스트는 한 중견 회계법인 대표였는데, 검찰은 그의 진술만 믿고 변양호를 체포한 것이다.

사실 대검 중수부가 변양호를 체포한 목적은 다른 데 있었다. 바로 론스타 사건을 파헤치기 위한 것이었다. 당시 미국계 사모펀드인 론스타가 외환은행 매각을 추진하는 과정에서 최대 4조 원 이상의 차익을 거둘 것이라는 전망이 나오자, 과거 금융당국이 외환은행을 론스타에 헐값으로 팔았다는 비난이 쏟아졌다. 국회는 검찰에 '외환은행 헐값매각' 의혹을 고발하는 한편 감사원에 감사를 청구했고, 감사원은 "외환은행은 인수자격이 없는 론스타에 헐값에 매각되었다"라는 감사 결과를 발표했다. 그러자 대검 중수부는 국민적 공분을 일으킨 이 사건을 직접 수사하기로 결정하고 외환은행 매각에 관여한 변양호를 일단 현대차 관련 뇌물수수 혐의로 잡아넣은 것(별건구속)이다.

하지만 이러한 수사방식은 위법성 시비를 일으킨다. 별건구속은 본래 수사하고자 하는 사건(본건)에서 피의자를 구속할 수 없을 때, 구속요건을 갖춘 다른 사건으로 영장을 청구해 잡아넣는 것이다. 이는 헌법이 규정한 영장주의 원칙에 반할 뿐 아니라 피의자에게 자백을 강요하는 등의 수단으로 악용될 수 있기에 위법하다는 게 다수설이다.

대검 중수부의 꼼수는 결국 부메랑이 되었다. 론스타 사건과 관련해 각각 배임과 뇌물수수 혐의로 두 차례 청구한 변양호의 구속영장이 모두 기각된 것이다. 현대차 뇌물수수 혐의로 한 차례 구속되었다가 보석으로 풀려난 변양호를, 검찰은 론스타 사건으로 다시 구속하려 했지만 법원은 이를 별건구속으로 판단한 것이다. 변양호를 구속 상태에서 마음껏 조사하려던 검찰의 의도는 무산되었고, 결국 재판에서도 완패했다.[*]

하지만 검찰은 엉뚱하게도 법원에 화살을 돌렸다. 대검 중수부는 변양호 등 론스타 사건 관련자들의 영장이 잇따라 기각되자, "남의 장사에 인분을 뿌리는 행위"[14] 등의 거친 표현을 써가며 법원을 비난했다. 정상명은 대검 간부들과 영장기각 대책회의를 여는가 하면, 일선 검찰청을 방문해 단합 등반대회를 갖는 등 부산을 떨었다. 여론을 이용해 법원을 압박하려는 의도였다. 이런 분위기에서 론스타 사건의 담당 검사가 변양호에게 무죄를 선고한 1심 재판장에게 여러 차례 협박성 메일을 보내는 사건이 일어났다. 수사 과정의 어려움과 혐의사실을 뒷받침하는 추가 내용 등이 주로 적혀 있었지만, '앞으로 두고 보자'는 식의 표현도 담긴 메일이었다.[15] 법원의 강력한 항의에 따라 해당 검사가 재판장을 직접 찾아가 사과하는 걸로 일단락되었지만, 검사가 판결에 불만을 품고 판사를 협박할 생각을 했다는 것 자체가 어처구니없는 일이었다.*

12년 만의 리턴매치

사법부는 박근혜·이명박 두 전직 대통령까지 구속한 검찰의 마지막 성역이었다. '사법농단 사건'은 그 성역을 깨부술 절호의 찬스였다. 수사 여건도 더 바랄 게 없을 정도로 좋았다. 검찰은 적폐 수사를

---

*   대법원은 2009년 1월 변양호에게 무죄를 선고했다. 변양호에게 돈을 줬다는 로비스트의 진술에 신빙성이 없다고 본 것이다. 대법원은 그 근거로 변양호의 사무실에서 돈을 전달했다는 날짜에 변양호가 국회에 있던 것으로 드러난 것과, 로비스트가 현대차에서 받은 로비자금(41억6000만 원) 중 40여억 원이 그와 가족의 계좌에 그대로 남아 있던 사실을 들었다. 변양호 등 금융계 인사들에게 20여억 원을 뿌렸다는 로비스트의 진술이 거짓인 것이다. 이는 변양호의 변호인이 검찰 조서에 첨부된 계좌추적 결과를 분석해서 확인한 사실이다. 계좌추적 결과를 꼼꼼히 확인하지 않은 대검 중수부가 망신을 자초한 셈이다.

통해 갈고닦은 기량과 정권의 든든한 지원, 그리고 호의적 여론으로 무장하고 있었다. 반면 법원은 만신창이가 된 상태였다. 앞서 이탄희 판사 관련 의혹에 대한 세 차례 진상조사는 부실조사 논란만 일으켰고, 사법부 전체가 자정 능력이 없는 '적폐 집단'으로 몰려 있었다. 론스타 사건에서 쓴맛을 본 윤석열과 한동훈에겐 12년 만의 리턴매치였다.

양승태 전 대법원장이 이끄는 사법부가 숙원사업인 상고법원(대법원과 별도로 3심을 전담하는 법원)을 도입하기 위해 박근혜 정권과 재판 거래를 했다는 의혹은 폭발력이 컸다. 사실이라면 사법부가 민주주의의 근간인 삼권분립 원칙을 어긴 것이기 때문이다. 더욱이 재판 거래의 대상이 '일제강점기 강제징용 피해자 손배소송'이었다는 검찰의 발표는 여론을 들끓게 만들었다. 양승태 사법부가 일제의 만행에 배상 책임을 물은 2012년 대법원 결정(김능환 판결)을 박근혜 정권의 요구에 따라 뒤집으려고 시도했다는 검찰의 주장은 반일감정과 맞물려 사회적 공분을 자아냈다.

'김능환 판결'은 2012년 5월 24일 대법원 1부가 일제 강점기 강제징용 피해자 9명이 신일본제철과 신미쓰비시중공업을 상대로 낸 소송에서 일본 기업들의 손해배상 책임을 인정한 판결이다.[*] 당시

---

[*] 김능환 대법관은 강제징용 판결을 내리고 두 달도 안 된 2012년 7월 10일 퇴임했다. 이를 두고 퇴임 직전 서둘러 판결하는 대신, 사건을 전원합의체에 회부해 대법관들의 치열한 논쟁을 거쳐 다수의견으로 이끌어냈다면 판결의 정당성이 더욱 견

주심 대법관 김능환의 논리는 명쾌했다. 일본 기업들은 1965년 박정희 정권 때의 한일청구권협정으로 일제 강점기 피해자의 개인청구권이 모두 소멸되었다고 주장했다. 그러나 대법원 1부는 당시 "협상 과정에서 일본 정부는 식민지배의 불법성을 인정하지 않은 채, 강제동원피해의 법적 배상을 원천적으로 부인하였고, 이에 따라 한일 양국 정부는 일제의 한반도 지배의 성격에 관하여 합의에 이르지 못하였는데, 이러한 상황에서 일본의 국가권력이 관여한 반인도적 불법행위나 식민지배와 직결된 불법행위로 인한 손해배상청구권이 청구권협정의 적용대상에 포함되었다고 보기는 어렵다"라고 반박했다. 또 "국가와는 별개의 법인격을 가진 국민 개인의 동의 없이 국민의 개인청구권을 직접적으로 소멸시킬 수 있다고 보는 것은 근대법의 원리와 상충된다"라고 지적했다. 이는 일본 법조계에서도 동의하는 목소리가 적잖을 정도로 의미 있는 판결이었다.[16]

　박근혜 정권은 김능환 판결이 뒤집히기를 원했다. 그래야 과거 박정희 정권이 체결한 한일청구권협정의 정당성이 유지되고, 당시 일본 정부와 진행 중이던 '위안부' 합의 협상을 마무리할 수 있었기 때문이다. 김능환 판결은 서울고법의 파기환송심을 거쳐 대법원에 재상고된 상태였다. 이 판결은 대법관 4명이 참여하는 소부에서 내려진 것이기 때문에, 뒤집으려면 대법관 13명 전원이 참석하는 전

　고했을 것이라는 견해도 있다.

원합의체에서 파기해야 했다.

검찰에 따르면 김기춘 당시 대통령 비서실장은 2013년 12월과 이듬해 10월 청와대·법원행정처·외교부 3자 회동을 열어 법원행정처에 재상고심을 전원합의체에 회부해줄 것을 요청했다. 일본과의 '위안부' 합의가 타결될 때까지 시간을 벌고, 그동안 강제징용 피해 보상 해법도 마련한다는 계산이었다. 혹시라도 대법원 전원합의체에서 김능환 판결이 뒤집힌다면 금상첨화였다. 3자 회동 후 법원행정처는 2015년 1월 정부 등 참고인이 제3자 간의 민사소송에서도 의견서를 제출할 수 있도록 민사소송규칙을 개정했는데, 검찰은 이를 '김능환 판결은 한일 관계를 악화시킬 우려가 있다'는 외교부의 의견을 반영해 재상고심을 전원합의체로 회부하려는 노림수가 담긴 조치라고 봤다.

윤석열-한동훈이 양승태를 겨냥한 것은 정치적으로도 '신의 한수'였다. 문 정권과 그 지지자들에게 박수 받을 수사이기 때문이다. 양승태는 법조계의 보수 진영을 대표하는 법조인이다. 그는 대법관 시절(2005년 2월~2011년 2월) '독수리 5형제'로 불린 이홍훈, 전수안, 박시환, 김영란, 김지형 등 진보 성향의 대법관들과 대척점에 서 있었다. 양승태는 대법원에서 강고한 '보수연합'을 이끌며 독수리 5형제를 소수파로 만들었다. 국가보안법과 집시(집회·시위)법 위반 사건 등에서 시민의 권리를 강조한 진보 성향 대법관들은 공권력을 우선시하는 양승태 쪽과 번번이 충돌했다.

양승태는 소장 판사 때부터 정권의 이익에 충실했던 인물이다. 전두환 정권 시기 그가 재판에 참여한 6건의 간첩조작 사건은 훗날 재심에서 모두 무죄가 선고되었다. 그 가운데 강희철·오재선 씨 사건은 그가 재판장으로서 판결을 주도했다. 두 사건 모두 수사기관의 혹독한 고문과 불법구금, 그로 인한 허위자백이 명백했는데도 '재판장 양승태'는 검찰의 구형대로 유죄를 선고했다. 그는 재심에서 무죄가 선고된 이후에도 피해자들에게 사과하지 않았다. 2011년 9월 대법원장 인사청문회에서 한 야당 의원이 군사독재 정권 당시 사법부의 과오를 사과할 의향이 있느냐는 물음에, "사과해야 할 기회가 오면 얼마든지 표명할 수 있다"라고 답변했지만 말뿐이었다.

양승태는 김능환 판결을 못마땅하게 여겼다. 일제강점기 피해에 대한 개인청구권은 이미 한일청구권협정으로 소멸되었다는 게 그의 생각이었다. 양승태가 보기에 김능환 판결은 국가 간에 맺은 협정(한일청구권협정)을 부인함으로써 법적 안정성을 크게 해쳤을 뿐 아니라, 앞으로 한일 관계에 두고두고 부담이 될 결정이었다. 당시 대법원의 다수파는 양승태를 비롯한 보수 성향 대법관들이었다. 따라서 자신의 임기 중에 대법원 전원합의체를 통해 이를 뒤집고 싶은 마음이 굴뚝같았다.* 양승태의 입장에서 보면 박근혜 정권이 '협

---

* 재상고심은 김명수 대법원장 체제가 들어선 이후인 2018년 7월 전원합의체에 회부되었고, 그해 10월 김능환 판결의 취지대로 원심을 확정했다.

조'를 요청한 사안은 국가의 이익을 위해 충분히 고려해볼 만한 것이었다. 그것이 자신을 대법원장으로 선택한 임명권자의 바람이라는 걸 그는 잘 알고 있었다.

검찰은 이를 정확하게 간파하고, 양승태 사법부의 재판개입 행위가 박근혜 정권의 국정농단 차원에서 진행되었다는 점을 부각했다. 이는 문 정권과 그 지지층의 지원을 극대화하고, 법원의 견제를 무력화할 수 있는 영리한 계책이었다. 전략은 적중했다. 문재인은 2018년 9월 13일 대법원에서 열린 사법부 70주년 기념식에 참석해 "지난 정부 시절의 사법농단과 재판 거래 의혹이 사법부에 대한 국민의 신뢰를 뿌리째 흔들고 있다"라며 "의혹은 반드시 규명돼야 한다"라고 강조했다. 법조인 출신 대통령이 아직 재판 결과가 나오지도 않은 상황에서 '사법농단'과 '재판 거래'라는 용어를 거리낌 없이 사용한 것이다. 김명수도 이 자리에서 "검찰 수사에 적극 협조하겠다"라고 다짐했다. 적폐청산 앞에서 '무죄추정의 원칙'은 가볍게 무시되고, 사법부는 완전히 '무장해제'되었다. 윤석열 사단은 탄탄대로에 들어섰다.

'검찰청의 편집자'
한동훈

사법농단 사건도 적폐 수사를 전담한 서울중앙지검 3차장 한동훈이 수사를 총괄, 지휘했다. 한동훈은 윤 사단의 핵심이자 윤석열이 가장 신뢰하는 후배답게 용의주도했다. 수사도 잘했지만, 그의 특기는 화려한 언변에 있었다. 당대 검찰에서 그의 말발을 따라갈 자가 없었다. 한동훈은 자신의 재능을 수사에 적극 활용했다. 검찰 수사에 이로운 쪽으로 기사가 나오도록 수사 상황을 언론에 흘렸다. 덕분에 기자들 사이에서 그는 '언론플레이의 달인'으로 통했다. 검사가 피의자를 기소하기 전에 혐의 내용을 누설하는 것은 피의사실 공표죄(형법 제126조)에 해당한다. 물론 지금까지 이 죄목으로 처벌받은 검사는 단 한 명도 없다. 그래도 한동훈의 선배들은 피의사실 공표 논란에 휘말리지 않도록 조심했다. 출입기자들의 질문에 선문답을 하거나, 수사 내용을 은근히 암시하며 논란을 피해가는 식이다.

반면 한동훈은 거침이 없었다. 사법농단 수사 기간 한동훈이 근무하는 서울중앙지검 3차장 집무실은 출입기자들로 북새통을 이뤘다. 그는 단순히 기자들의 취재 내용을 확인해주는 데 그치지 않았다. 기사의 방향을 일러주다시피 했고, 그에 따라 언론들은 대동소이한 기사를 쏟아냈다. 당시 상황을 한 방송사 기자는 이렇게 묘사했다.[17] "(매일 오후에) 기자들이 줄을 서서 (취재 내용을) 확인을 하러 (3차장 방에) 들어갔다. 한 명씩, 은행에서 번호표 하나씩 뽑듯이…. 포털 메인에 저녁 6시 정도가 되면 똑같은 내용의 기사가 떴다. 제목은 똑같고, 앞에는 '단독'이 붙어 있다. 그러나 (기사를) 들여다보면 정말 근소한 차이로 A판사의 어떤 혐의에 대해 조금 더 추가로 나온 거다." 이 무렵 한 언론은 한동훈을 포함한 서울중앙지검 차장들을 '검찰청의 편집자들'이라고 꼬집었다.[18]

양승태는 2021년 4월 사법농단 재판에서 한동훈을 향해 뼈 있는 말을 했다. 앞서 2020년 7월 '채널A 기자 강요미수 의혹 사건'에 연루된 한동훈은 자신에 대한 "수사 상황이 언론에 실시간으로 유출된다"라며 당시 법무부와 검찰 수사팀을 강하게 비난했다. 양승태는 이런 한동훈의 이중적 태도를 다음과 같이 비꼬았다.

(1년 전) 검찰 고위간부 한 분이 모종의 혐의로 수사받게 되자 그 수사가 공정하지 못하다고 하면서 수사심의위원회 소집을 요구하며 이렇게 이 야기했다. '수사 상황이 시시각각으로 유출돼 수사관계인에 의해 수사 결론이 계속 제시되고 있는 상황에서는 공정한 수사를 기대하기 어렵다'고. 오늘 이 법정에서 심리하고 있는 이 사건이야말로 당시 수사 과정에서 어떤 언론이 '수사 과정이 실시간으로 중계방송되고 있다'고 보도할 정도로 쉬지 않고 수사 상황이 보도되고 있었다. 이 과정에서 모든 정보가 왜곡되고 결론이 마구 재단돼 일반인에게 전달되는 과정에서 '저 사람들이 직무수행 과정에서 상당한 범행, 범죄를 저질렀다'는 생각에 젖어들게 만들었다.[19]

한동훈은 사법농단 수사에서 법원의 영장심사 기능을 무력화하려고 애썼다. 그는 판사들의 영장기각을 '제 식구 감싸기'로 공격했다. 한동훈은 유해용 전 대법원 수석재판연구관에 대한 구속영장이 기각되자 법원의 영장기각 사유까지 언론에 공개하며 "기각을 위한 기각 사유"라고 반발했다.[20] 법원이 곧바로 "검찰이 (영장기각 사유를 공개하면서) 사실관계를 과장하거나 추측성 비판을 하는 것은 재판권 침해로 여겨질 수 있다"라고 반박했지만, 여론은 법원에 불리했다. 검찰은 이러한 여론 지형을 잘 이용했다. 윤석열은 2018년 10월 국회 국정감사에서 영장기각과 관련해 "(법원에) 많이 실망스럽다"라고 말했다. 그는 몇몇 의원이 영장기각 사유까지 공개한 것을 지적하자, "수사가 신속하게 안 되는 이유를 국민께 알리는 차원"이라고 둘러댔다. 법원의 영장심사 기능을 수사 방해 차원으로 이해하고 있음을 드러낸 말이지만, 여론은 이를 문제 삼지 않았다.

검찰의 무분별한 압수수색도 논란이 되었다. 압수수색은 '범죄의 정황이 있을 때 이를 입증하는 증거를 찾기 위해' 하는 것이다.* 하지만 사법농단 수사에서는 '범죄 정황을 찾기 위한' 압수수색영장 청구가 비일비재했다. 다른 혐의를 찾기 위한 압수수색은 별건 수사에 해당한다. 앞서 유해용 판사의 사례는 명백한 별건 수사였

---

* 형사소송법 제215조는 압수·수색에 대해 이렇게 규정한다. "검사는 범죄수사에 필요한 때에는 피의자가 죄를 범하였다고 의심할 만한 정황이 있고 해당 사건과 관계가 있다고 인정할 수 있는 것에 한정하여 지방법원판사에게 청구하여 발부받은 영장에 의하여 압수, 수색 또는 검증을 할 수 있다."

다. 유해용은 앞서 법원 진상조사단의 조사 대상도 아니었고, '재판 거래'와도 관련이 없었다. 검찰은 그의 PC에서 박근혜의 '비선 의료 진'으로 알려진 한 병원장의 특허소송 내용을 분석한 문건이 발견 된 것을 근거로 그를 구속하려고 했다. 하지만 문건은 압수수색영 장에 적시된 범위를 넘어선 것으로 불법적인 증거수집에 해당했다. 당연히 구속영장은 기각될 수밖에 없었고, 재판에서도 모두 무죄가 선고되었다.

검찰은 서울중앙지검 최정예인 특수 1·2·3·4부 소속 검사와 대 검 연구관 등 30여 명을 사법농단 수사에 투입했다.[21] 앞서 '박근혜-최순실 국정농단 사건' 수사를 위해 꾸렸던 특별수사본부와 맞먹는 규모였다. 수사 대상도 광범위했다. 무려 100여 명의 판사들이 검찰 청 조사실에 불려갔다. 판사들은 대한민국 검찰의 수사 대상이 된 다는 게 얼마나 힘든 일인지 뼈저리게 느꼈다. 참고인으로 소환된 판사들은 '수사에 협조하지 않으면 피의자로 신분이 전환될 수 있 다'는 협박(!)을 받았다. 양승태와 함께 기소된 박병대 전 대법관은 2019년 5월 29일 첫 공판에서 "법원행정처 심의관(판사) 등의 조서 를 읽어보면 검찰에서 겁박을 당하고 훈계와 질타를 받았음을 행간 에서 느낄 수 있다"라고 모두진술을 통해 주장했다.

검찰은 2019년 1월 24일 양승태를 구속함으로써 헌정 사상 처 음으로 전직 대법원장을 구속하는 기록을 세웠다. 하지만 사법농단 수사의 성적표는 영 신통찮다. 2018년 11월 임종헌 전 법원행정처 차장 구속기소로 시작된 일련의 재판에서 임성근 전 부장판사, 신광렬·조의연·성창호 부장판사, 이태종 전 서울서부지법원장은 모두 1·2심에서 무죄를 선고받았다. 이민걸 전 법원행정처 기획조정실장과 이규진 전 대법원 양형위원회 상임위원만 1심에서 일부 유죄가 인정돼 집행유예가 선고되었다. 사법농단의 핵심 인물인 양승태와 박병대·고영한 전 대법관, 임종헌의 재판은 아직도 1심이 진행 중이다.

양승태는 2019년 5월 29일 첫 공판에서 "검찰의 공소장은 법률가가 쓴 법률 문서라기보다 소설가가 미숙한 법률 자문을 받아서 한 편의 소설을 쓴 것이라고 생각될 정도다. 공소장 첫머리에는 흡사 피고인들이 엄청난 반역죄나 행한 듯 재판으로 온갖 거래행위를 획책했다고 하고는 결론 부분에 이르면 재판 거래는 온데간데없고 심의관들에게 문건·보고서를 작성하게 한 게 직권남용이라고 끝을 낸다. 용두사미라는 말이 있지만, 용은커녕 뱀도 제대로 그리지 못했다"라고 했다. 그의 말대로 사법농단 재판 결과는 태산명동서일필泰山鳴動鼠一匹이 되어가고 있다. 양승태 사법부가 박근혜 정권과 '재판 거래'를 했다는 의혹은 1년에 가까운 수사와 3년이 넘는 재판을 통해서도 아직 사실로 확인되지 않았고, 앞으로 확인될 가능성도 커 보이지 않는다.

'칼맛'에 취한 정권

사법농단 수사로 사법부는 초토화되었다. 판사들은 검찰을 끌어들여 재판 거래 의혹을 파헤치려고 한 대법원장에 대한 지지 여부에 따라 두 패로 갈렸다. 김명수 지지파와 반대파 사이의 골은 깊게 파였다. 법원에 대한 국민의 신뢰도는 역대 최악으로 추락했다. OECD가 2019년 회원국 37개국을 대상으로 각국 사법부에 대한 신뢰도를 조사한 결과 한국은 최하위 수준으로 나타났다.[22] 또 통계청이 2020년 발표한 '한국의 사회지표'에 따르면 2019년 법원에 대한 국민 신뢰도는 36.8%로, 군대(48.0%)와 지방자치단체(44.9%)보다도 낮았다.[23] 반면 '윤석열 검찰'은 두 전직 대통령에 이어 전직 대법원장까지 잡아넣으며 역대 최강의 권력기관으로 거듭났다. 검찰 개혁을 캐치프레이즈로 내건 정권에서 역사상 가장 강력한 검찰이 탄생한 것이다. 문재인 정권의 '적폐청산 드라이브'가 낳은 기막힌 아이러니였다.

'적폐청산'은 2018년 6·13 지방선거에서 여당이 압승하는 데 한 몫 톡톡히 했다.* 전 정권을 겨냥한 수사에 고무된 문 정권 지지자들이 더 적극적으로 투표장으로 나온 것이다. 문 정권은 이를 국민들

---

* 민주당은 전국 17개 광역자치단체장 가운데 서울과 경기를 포함한 14곳을 석권했다.

이 '적폐청산'에 '프리패스'를 발급한 것으로 해석했다. 수사의 정당성과 적법성이 의심되는 사례가 적지 않았지만, 청와대 민정수석실은 윤석열 사단에 맹목적인 성원을 보냈다. 6·13 지방선거 직후 시작된 공정거래위원회에 대한 검찰 수사가 대표적이다.

2018년 6월 20일 서울중앙지검 공정거래조사부의 공정위 사무실 압수수색으로 시작된 검찰 수사는 공정위 출신들의 재취업 비리 의혹을 겨냥한 것이었다. 수사팀은 두 달간 강도 높은 조사 끝에 전직 위원장(3명)과 전·현직 부위원장(3명)을 포함한 고위간부 12명을 기소했다. '경제검찰'이라 불리는 공정위가 재취업을 위해 민간기업 등에 압력을 행사했다는 수사 결과는, 청년실업과 비정규직 문제로 고통받는 서민들의 감정선을 건드렸다. 분노는 최고위직인 지철호 당시 부위원장에게 집중되었다. 그는 공직자윤리위원회의 취업심사를 받지 않고 취업제한기관에 취업한 혐의로 기소됐는데, 검찰 수사 결과가 사실이라면 고위공직자의 본분을 망각한 행위로 비난받아 마땅했다.

그러나 재판 결과는 달랐다. 기소된 12명 가운데 지철호를 포함한 6명이 무죄가 확정되었다. 전직 위원장·부위원장 중에 유죄는 각 1명이었다. 특히 지철호는 1·2·3심에서 모두 무죄가 선고되었다. 2015년 공정위를 퇴직한 지철호는 2017년 중소기업중앙회 상임감사로 취업했다. 그러나 이곳이 취업제한기관으로 지정된 때는 그가 2018년 1월 문재인 정권에서 공정위 부위원장에 발탁되고 나서도 6개월이 지난 뒤였다. 지철호는 입사 전 공정위와 중소기업중앙회에 취업제한 여부를 질의했는데, 두 곳 모두 '취업제한에 해당하지 않는다'고 답변했다. 공직자윤리위원회도 취업제한기관으로 명시되지 않은 점을 고려해 그에게 취업심사를 받지 않았을 때 부과하는 과태료 대상에서 제외했다. 검찰 수사는 기초부터 잘못된 셈이었다.

검찰-공정위 갈등이 드러낸 문 정권의 졸속 개혁

지철호는 수사 초기부터 억울함을 호소했지만, 문재인 정권의 실세인 김상조 공정위원장은 검찰이 기소하자마자 그에게 부위원장을 사퇴할 것을 요구했다.[24] 지철호는 단박에 이를 거절했다. '공정위 조직의 독립성이 침해될 수 있다'는 이유에서였다.[25] 부위원장은 공정거래법에 따라 3년 임기가 보장되고, 금고 이상의 형을 선고받은 경우에만 면직된다. 그러자 김상조는 그를 업무에서 배제하는 초강수를 뒀다. 자신들이 발탁한 차관급 인사를 검찰이 기소했다는 이유만으로 사퇴를 요구하는 것은 정상적인 행태가 아니다. 그만큼 문재인 정권은 윤석열 사단의 적폐 수사에 흠뻑 취해 있었다. 지철호는 2019년 1월 1심에서 무죄를 선고받자마자 김상조를 찾아가 업무에 복귀하겠다고 선언한다. 그 후 대법원에서 무죄가 확정되고 6개월

이 지난 2020년 8월 공직생활을 마감했다.

　윤석열 사단의 공정위 수사는 '표적 수사'라는 의심을 강하게 받았다.[*] 검찰은 당시 공정위의 '전속고발권 폐지' 문제를 두고 공정위와 갈등을 빚고 있었다. 전속고발권은 공정위의 고발 없이는 검찰이 수사와 기소를 할 수 없도록 한 제도다. 검찰의 무분별한 수사로 기업의 경영 활동이 위축되는 것을 막기 위해 1980년에 도입되었다. 문재인 정권은 공정위가 이 제도를 '재벌 봐주기'에 악용한다는 이유로 전속고발권 폐지를 공약으로 내걸었다. 검찰로서도 밥그릇이 더 커지는 셈이었기에 적극적이었다. 검찰은 전속고발권 폐지는 물론 리니언시(담합행위를 한 기업이 자진신고를 할 경우 처벌을 경감하거나 면제하는 제도) 관련 정보까지 요구하고 나섰다. 하지만 공정위는 전속고발권 완전 폐지에 난색을 보였다. 리니언시 정보 공유도 검찰의 별건 수사에 악용될 소지가 있다는 이유로 반대했다. 결국 적폐청산을 내세운 공정위 출신 인사들에 대한 대대적 수사에는 전속고발권 폐지를 두고 벌인 갈등이 숨어 있었던 것이다.

　문재인 정권은 검찰의 공정위 수사가 진행되는 동안 전속고발권

---

[*]　언론은 2018년 6월 22일 검찰의 수사 착수 배경을 전속고발권을 둘러싼 갈등으로 분석한 보도를 일제히 쏟아냈다. 〈공정위 심장 겨눈 검, 전속고발권 폐지 살바싸움?〉(세계일보), 〈기업유착 수사냐, 전속고발권 폐지 둘러싼 기싸움이냐〉(서울경제), 〈리니언시까지 넘기라는 검… 버티는 공정위 손보기?〉(서울신문), 〈검·공정위 전속고발권 다툼… 리니언시 운영권 핵심〉(이데일리), 〈공정위 압수수색한 검찰의 속내는… 재벌 수사 주도권 갈등?〉(조선일보, 7월 14일).

폐지에 적극적으로 나섰다. 검찰개혁을 전담하는 민정수석실이 앞장섰다.[26] 검경 수사권 조정에 따라 검찰의 직접 수사권을 축소해야 하는 상황에서 전속고발권 폐지는 검찰을 달랠 좋은 카드였다. 검찰이 지철호 등을 기소한 지 5일 만에 법무부와 공정위는 '공정거래법 전속고발제 개편 합의문'에 서명까지 했다. 그러나 '조국 사태'로 문정권과 윤석열 사단의 사이가 틀어지고, 민주당이 이른바 '검수완박'(검찰 수사권 완전 박탈)을 추진하면서 전속고발권 폐지는 '검찰의 힘을 키워줄 우려가 있다"는 이유로 없던 일이 돼버렸다. 전속고발권 폐지 문제는 문재인 정권이 개혁을 얼마나 졸속으로 추진했는지 단적으로 드러난 사례로 남았다.

3

날아간 개혁의
골든타임

문재인 정권은 적폐 수사에서 성과를 낸 윤석열 사단의 힘을 더욱 키워줬다. 법무부는 2018년 2월 윤석열의 요청에 따라 서울중앙지검을 기존 3차장에서 4차장 체제로 재편했다. 적폐 수사에 박차를 가하기 위해 검찰의 직접 수사 기능을 확대한 것이다. 윤석열 휘하의 서울중앙지검은 기존 27개 부서에서 30개로 늘어났고, 평검사 수도 206명에서 211명으로 증원돼 역대 최대 규모를 자랑했다. 안타깝게도 검찰의 힘만 커진 게 아니었다. 문 정권이 타산지석으로 삼았던 노무현 정권의 검찰개혁 실패를 반복하게 될 가능성도 덩달아 커졌다.

불법대선자금
수사의 추억

노무현 정권은 검찰개혁을 위해 비검찰 출신이자 여성인 강금실 변호사를 초대 법무부 장관에 임명했다. 강금실이 검찰 고위간부 인사를 놓고 검찰 기득권 세력과 충돌하자 노무현 대통령은 2003년 3월 9일 '검사와의 대화'로 이를 돌파하려고 했다. 노무현은 "검사들의 오해와 불만을 해소하는 것과 함께 젊은 검사들이 정치적 독립의 충정을 토로하면 공감을 표시하고 필요한 약속을 하려고"[27] 했지만, 이 이벤트는 검찰의 수구성만 적나라하게 드러낸 채 허무하게 끝났다. 그나마 검찰개혁의 필요성을 시민들에게 각인시킨 것이 성과라면 성과였다. '검사와의 대화'를 계기로 검찰개혁을 요구하는 시민사회의 목소리는 더욱 커졌고, 검찰은 이전까지 경험해보지 못한 개혁의 압박을 받게 되었다.

하지만 이러한 분위기는 오래가지 못했다. 2003년 7월부터 정치권에 불어 닥친 '불법대선자금' 이슈가 검찰에 다시 칼자루를 쥐어줬다. 2003년 12월 대검 중수부는 노무현 대통령의 오랜 후원자인 강금원 창신섬유 회장과 이회창 한나라당 대선후보의 법률고문 서정우 변호사를 구속하며 수사의 포문을 열었다. 9개월간의 강도 높은 수사가 진행되었고, 야당 인사들뿐만 아니라 안희정·정대철·이상수 등 여권 핵심인사들도 줄줄이 처벌받았다. 이 수사는 성역이자

금기였던 현직 대통령의 대선자금을 검찰이 정면으로 겨냥해 정경유착을 끊는 토대를 마련했다는 점에서 성공한 수사라는 평가를 받았다. 안대희가 이끄는 대검 중수부의 공이 컸지만, 살아 있는 권력을 향한 수사에 일절 개입하지 않은 노무현 정권이기에 가능한 수사이기도 했다.

불법대선자금 사건은 노무현 정권의 검찰개혁 동력을 크게 떨어뜨렸다. 검찰 수사가 국민들에게 호평받으면서 오히려 검찰이 정치를 바꿀 수 있도록 힘을 실어줘야 한다는 여론이 형성되었다. 정치자금 문제에서 자유로운 정치인은 거의 없었기 때문에 여야 정치권 전체가 검찰의 사정권에 있었다. 수사 기간 내내 대검 중수부에는 지지자들이 보낸 화환과 음식이 배달되었다. 송광수 검찰총장과 안대희 중수부장에게 '국민검사'라는 호칭이 붙었고, 팬카페가 만들어지기도 했다. 개혁 대상이던 대검 중수부는 불법대선자금 수사 하나로 정치개혁의 주체가 되었다. 중수부 폐지론이 일자 송광수가 "먼저 내 목을 쳐라"* 라며 호기롭게 버틸 정도로 기세가 등등했다. 노무현 정권의 검찰개혁이 물 건너간 결정적 순간이었다.

불법대선자금 사건은 검찰개혁에 있어 중요한 교훈을 남겼다. 정

---

* 2004년 1월 초 대선자금 수사가 마무리될 무렵 당시 강금실 법무부 장관이 중수부 수사팀을 사실상 해체하는 인사를 준비하자, 송광수 당시 검찰총장이 이를 중수부폐지로 받아들여 강하게 반발하면서 한 말이다. 강금실은 송광수의 저항에 밀려 일부 검사장만 교체했다.

치적 갈등 국면에서 개혁 대상인 검찰이 칼자루를 쥐는 상황을 만들지 말아야 한다는 것이다. 정치권이 정치적 갈등을 스스로 해결하지 못하고 사법적 판단에 의존하는 순간부터 검찰에 끌려 다닐 수밖에 없다. 이러한 상황이 반복될수록 검찰 권력은 비대해지고 검찰개혁은 그만큼 힘들어진다.

당시 청와대에서 검찰개혁을 총괄한 민정수석 문재인은 이를 통감했다. 그는 대선자금 수사를 "기업을 털어서 비자금이라든지 비리들을 움켜쥐고 정치자금에 대해 자백하게 만드는 식, 그러니까 증거를 가지고 수사를 한 것이 아니라 요거 안 깨지려면 불어라는 식으로 자백하게 만드는, 굉장히 구태의연하고 다시 있어서는 안 될 수사 방식"[28]으로 인식했다.

어떤 수사든 그 과정과 방법은 인권을 침해해서는 안 된다. 피의자도 수사 과정에서 자신의 권리를 행사할 수 있어야 한다. 이를 보장하기 위해 검찰권에 대한 견제와 감시가 필요했지만, 대선자금 수사는 현직 대통령의 측근들까지 겨냥했기 때문에 노무현 정권은 개혁을 시도조차 못했다. 강금실은 당시 상황을 이렇게 떠올렸다. "참여정부의 검찰개혁은 실패할 수밖에 없었는데 왜냐하면 불법대선자금 수사 때문이다. 대선자금 수사를 하는 순간 법무부 장관이 수사에 대해서 구체적인 수사지휘권을 발동하기가 매우 민감하고 어려워졌다. (…) 대국민 관계에서도 청와대보다 대검의 힘이 더 세졌다. 청와대는 조사 대상이 된 것이다. 그때 (법무부 장관이) 수사에 대해 구체적으로 개혁을 언급하는 것은 매우 어려운 상황이 되었다."[29]

검찰, 개혁대상에서
적폐청산의 주체로

검찰개혁에 성공하려면 이러한 과거를 반복하지 말아야 했다. 하지만 문재인 정권은 적폐 수사를 명분으로 또다시 검찰에 칼자루를 쥐어 줬다. 그런데 그 과정은 노무현 정권과 사뭇 달랐다. 불법대선자금 수사는 대선자금을 둘러싼 갈등 국면에서 노무현 정권이 제시한 정치적 해법을 야당이 거부하면서 불가피하게 검찰 수사로 이어졌지만,[*] 적폐 수사는 오롯이 문재인 정권이 주도한 것이다. 문 정권은 적폐청산을 '촛불집회에 참여한 시민들의 요구'라고 강변하지만, 촛불집회에서 울려퍼진 구호는 '검찰개혁'이었지 적폐청산이 아니었다. 전 정권 인사들을 겨냥한 적폐청산은 문재인 대선 후보의 경선 전략일 뿐 박근혜 탄핵에 동의한 국민들의 공통된 요구와 거리

---

[*] 2003년 7월 노무현 대통령은 기자회견 등을 통해 "여야 모두 지난 2002년 대선자금의 모금과 집행 내역을 국민 앞에 소상히 밝히고 여야가 합의하는 방식으로 철저히 검증하자"라고 제안했지만, 야당은 "정부와 여당이 불리해진 상황을 피하기 위해 야당을 끌어들이는 태도를 용납할 수 없다"라며 거부했다. 그러자 노 대통령은 같은 해 11월 "검찰이 멈칫거리지 않고 소신껏 수사하길 바란다"라며 검찰 수사의 불가피성을 강조하고, 수사에 개입하지 않겠다고 선언했다.

가 멀었다.[*] 그럼에도 문 정권은 어떠한 정치적 협의도 없이 적폐 수사를 밀어붙였다. 그것이 검찰의 힘을 키울 것이라는 사실을 잘 알고 있으면서도 임기 중반까지 고삐를 늦추지 않았다.

그 결과는 정치의 축소였다. 야당을 적폐로 규정한 상태에서 의미 있는 정치적 대화가 이뤄질 리 없었다. 적폐청산은 국민을 편 가르기 시작했고, '국민통합'을 공허한 말장난으로 만들었다. 적폐청산의 최대 수혜자는 윤석열 사단이다. 개혁 대상이 적폐청산의 주체가 되는 적반하장이 벌어진 것이다. 청산되어야 할 적폐, 즉 검찰의 구시대적 수사 방식은 더욱 교묘해졌고 검찰의 영향력은 더욱 커졌다. 윤 사단은 스스로 문 정권에 상당한 지분을 갖고 있다고 여기게 되었다. 이들은 검찰 권력을 축소하려는 검찰개혁의 방향에 반발하기 시작했다. 적폐청산이 낳은 아이러니였지만 문재인 정권은 이에 아랑곳없이 "중단 없는 적폐청산"만 외쳐댔다.

문재인은 2019년 5월 2일 사회 원로 간담회에서 이렇게 말했다. "어떤 분들은 이제는 적폐 수사 그만하고 좀 통합으로 나가야 하지 않겠냐, 이런 말씀들도 많이 하십니다. 살아 움직이는 수사에 대해

---

[*] 〈[장덕진 칼럼] 윤석열 정권의 성패는 이미 결정되고 있다〉, 《경향신문》, 2022. 3. 15. 장덕진 교수는 "문재인 정부의 주장과는 달리 객관적인 데이터 분석은 적폐청산이 촛불 광장의 핵심 어젠다가 아니었다는 점을 생생하게 보여준다. 그것은 원래 존재했던 것이 아니라 문재인 후보의 경선 전략이었고, 그가 대선 후보로 확정된 4월 3일부터 장미대선이 치러진 5월 9일까지 한 달간 폭발적으로 확산되었을 뿐"이라고 주장했다.

서 정부가 통제할 수도 없고 또 통제해서도 안 된다는 것이 저의 생각입니다. 개인적으로는 국정농단이나 사법농단 이것이 사실이라면 그것은 아주 심각한 반反헌법적인 것이고, 또 헌법 파괴적인 것이기 때문에 그 부분에서는 타협하기가 쉽지 않은 것입니다. 그래서 빨리 진상을 규명하고 청산이 이루어진 다음, 그 성찰 위에서 새로운 나라를 만들어나가자는 데 대해서 공감이 있다면 그 구체적인 방안들에 대해 얼마든지 협치하고 타협도 할 수 있을 것인데, 국정농단이나 사법농단 그 자체를 바라보는 기본적인 입장이나 시각이 다르니까 이런 것들이 어려움이 많은 것 같습니다." 적폐를 먼저 청산한 뒤에 야당과의 협치를 고려하겠다는 발언으로, 적폐청산을 계속해도 정국을 주도할 수 있다는 대통령의 자신감이 잘 드러난다. 하지만 문재인은 적폐 수사로 벼려진 칼이 불과 4개월 뒤 정권의 핵심을 겨눌 것이라고는 예상하지 못했다.

3

민심이
바뀌다

문 정권의 핵심이자
검찰개혁의 사령탑이었던
조국과 추미애.

검찰개혁에 대한 민심이 뒤바뀌는
고비마다 두 사람이 있었다.

1

조국 사태와
내로남불

조국은 문재인 정권의 두 번째 법무부 장관에 지명되기 한 달여 전인 2019년 7월 초 민주당 일부 의원들에게 장문의 글을 돌렸다. 시중에 나도는 자신의 논문 표절과 배우자의 재산 관련 의혹 등을 해명한 글이었다. 수신인은 국회 법사위 소속 의원들이었다. 그가 법무부 장관 후보자가 된다면 인사청문회에서 만나게 될 이들이었다. 조국은 "법무부 장관 후보가 되는 것과 무관하게 제기된 여러 의혹에 대해 여당 의원들에게는 해명해야 한다고 생각했다"라고 '순수한 의도'를 강조했지만, 여당 안에서는 "부적절하다"라는 말이 나왔다. 아직 대통령이 정식으로 지명한 것도 아닌데 벌써부터 해명 글을 돌리는 게 맞느냐는 쓴소리도 이어졌다.

당시 여당 안에서도 그의 법무부 장관 지명을 반대하는 의견이 적지 않았다. 민주당에서는 청와대 민정수석이 법무부 장관으로 직행하는 것은 잘못된 인사라는 공감대가 오래전부터 존재했다. 대통령의 핵심 참모가 검찰을 지휘하는 법무부 장관으로 직행하면 검찰의 정치적 중립이 의심받을 수밖에 없다는 생각이었다. 노무현 정권 때인 2006년 7월 노 대통령이 문재인을 법무부 장관에 임명하려고 하자, 여당인 열린우리당(현재의 민주당)의 투톱인 김근태 의장과 김한길 원내대표 등이 "국민이 바람직하다고 보지 않는다"라며 반대 의사를 밝혔다. 노무현은 두말없이 뜻을 접었다. 여당에 부담을 주기 싫었기 때문이다.

민주당은 야당이던 2011년 7월, 이명박 대통령이 권재진 청와대 민정수석을 법무부 장관 후보자로 지명할 때 강하게 반발했다. "민정수석을 법무부 장관에 임명하려고 하는 것은 힘의 정치다. 결국 대통령에게 독이 될 것이다"라는 독한 논평을 냈다. 이듬해 총선을 의식해 "검찰을 선거에 이용하려는 불순한 의도"라는 비판도 덧붙였다. 노영민 당시 원내수석부대표는 "군사독재 시절에도 차마 하지 못했던 일"이라고 맹비난했다. 그랬던 노영민은 정권을 탈환하고 청와대 비서실장이 되자 대통령의 뜻에 따라 '조국 법무장관 카드'를 밀어붙이게 된다.

조국은 '자질 논란'에도 휘말려 있었다. 그가 민정수석으로 있는 동안 인사검증 실패로 차관급 이상 내정자 12명이 낙마했고, 국회의 청문 보고서 채택 없이 대통령이 임명을 강행한 고위공직자가

15명이나 되었다. 민정수석의 또 다른 핵심 업무인 공직 기강 관리에서도 허점을 보여 '특감반 사태'가 일어나기도 했다. 이런 탓에 여론도 '조국 법무부 장관'에 그리 우호적이지 않았다. 2019년 7월 1일 리얼미터가 발표한 여론조사 결과를 보면 찬반(46.4% 대 45.4%)이 팽팽하게 맞섰다. 특히 문재인 정권의 검찰개혁을 지지하는 중도층과 서울 지역 여론은 오차 범위 안이지만 반대가 더 많았다. 중도층은 찬성 45.5% 반대 49.2%였고, 서울은 찬성 42.2% 반대 45.0%였다.

 문재인은 조국을 검찰개혁의 적임자로 여겼지만, 여당 안에서는 그 반대로 생각하는 이들도 많았다. 조국을 법무부 장관에 앉히면 야당의 협조는 물 건너간다는 논리였다. 검경 수사권 조정과 공수처 도입은 당시 국회 의석 분포(민주당 123, 자유한국당 122, 국민의당 38)를 볼 때 야당의 협조 없이는 불가능했다. 그러나 야당은 검찰개혁이 '조국의 업적'이 되는 것을 기를 쓰고 막으려고 들 게 뻔했다. '적폐 청산'을 목청껏 외치며 편 가르기에 앞장선 문재인의 최측근을 도와줄 이유가 전혀 없었다.

조국의 적은 조국

2019년 8월 9일 문재인은 조국을 법무부 장관에 지명한다. 야당의 총공세가 예상되었지만 문재인은 특유의 고집으로 인사를 밀어붙였다. 후폭풍은 컸다. 조국 일가와 관련한 여러 의혹이 쏟아져 나왔다. 그 대부분이 조국의 과거 '어록'과 충돌하는 것이었기에 타격은 더욱 컸다. 조국이 평생 쌓아온 '양심적 지식인'의 이미지는 간데없고 대신 '내로남불'의 이미지가 덧씌워졌다. 그에게 호의적이던 여론이 마침내 돌아서기 시작했다.

무엇보다 치명적인 것은 조국 일가의 삶이 적폐청산의 대상인 '반칙과 특권'으로부터 자유롭지 않다는 점이었다. 대표적인 게 자녀 교육 문제다. 조국의 딸은 '외고-논문 저자 등재-대학-의학전문대학원'으로 이어지는 이른바 '금수저 코스'를 밟았다. '부모 찬스'를 최대한 활용해 이뤄낸 진학이었다. 그의 딸이 대입을 위해 스펙을 쌓은 시기(2007년~2009년)는 '외고-의대' 진학 논란의 정점이었다. 외국어 집중 교육으로 글로벌 인재를 키우겠다는 외고에서 의대 합격생이 대거 배출되는 게 과연 특목고 제도의 취지에 맞느냐는 비판이 거세게 일었다. 외고 설립 취지에 맞는 어문계열 진학자는 전체 20% 수준에 그쳤고 의대와 법대, 상경계열 등 비어문계열 진학자는 70%를 웃돌았다.

조국은 2007년 4월 《한겨레》 칼럼에서 '외고 열풍' 현상을 비판했다. "유명 특목고는 비평준화 시절 입시명문 고교의 기능을 하고 있으며, 초등학생을 위한 특목고 대비 학원이 성황이다. 이런 사교육의 혜택은 대부분 상위계층에 속하는 학생들이 누리고 있다." 그는 2014년에 출간한 《왜 나는 법을 공부하는가》에서도 "특목고, 자

사고, 국제고 등은 원래 취지에 따라 운영되도록 철저히 규제해야 한다. 성적만이 공부의 전부가 아니다. 현재 특목고, 자사고, 국제고 등에 다니는 성적 우수 학생들이라면 이 점을 유념하면서 생활하고 공부해야 사고의 폭과 깊이가 제한되지 않을 것이다"라고 썼다. 누구보다 자신의 부인과 딸에게 해줄 말이었다.

조국은 인사청문회에서 '자녀 교육은 아내가 주로 챙겼다'고 발뺌했지만, 이후 재판을 통해 드러난 사실은 이와 전혀 달랐다. 그는 자녀 교육에 관심이 많은 아버지일뿐더러 이를 위해 자신의 지위와 인맥을 스스럼없이 동원하는 등 누구보다 세속적인 가장이었다. 추상같은 말로 가득한 그의 '어록'과는 전혀 판판이었다. 언론은 의혹이 제기될 때마다 그의 과거 발언을 소환해서 비판했고, 시중에서는 '조적조'(조국의 적은 조국)라는 비아냥이 등장했다.

윤석열,
"수사는 사냥이다"

윤석열은 검찰총장 취임 후 첫 사건으로 '조국 사태'를 골랐다. 조국을 둘러싼 의혹은 그 자체로만 보면 '1호 사건'감은 분명 아니었다. 기껏해야 장관 후보자 자녀의 '입시용 스펙'이 진짜인지 가짜인지를 가려내는 것이었기 때문이다. 사건의 주인공이 대통령 최측근이라는 점을 제외하면 단순하고 평범한 사건이었다. 당시 '스펙 품앗이'

는 조국 자녀만의 문제도 아니었다. 이른바 '명문 외고'에는 학부모 인맥을 활용한 인턴십 프로그램이 많았다. 대학 가운데는 입학사정 관제도가 제대로 정착되지 않은 틈을 타 이런 반칙을 유도하는 사례가 적지 않았다. 기형적 입시제도가 낳은 사회적 일탈 행위인 셈이다. 그런데도 윤석열은 조국 일가를 겨냥해 서울중앙지검 특수부에다 대검찰청 반부패부까지 동원했다. 검사만 10여 명에 이르는 사실상의 특별수사팀을 꾸렸다.

한동훈(대검 반부패부장)-송경호(서울중앙지검 3차장) 라인의 수사팀은 2019년 8월 27일 서울대를 비롯해 조국 의혹과 관련된 20여 곳을 무더기로 압수수색했다. 인사청문회 개최를 놓고 힘겨루기를 하던 여야가 가까스로 청문회 일정에 합의한 직후였다. 윤석열은 '사람에게 충성하지 않는다'는 발언으로 화제가 된 2013년 국회 국정감사에서, "수사라는 게 초기에 사태를 장악해야 한다. 그 정도까지는 표범이 사냥하듯 수사해야 한다"라고 자신의 '수사관'을 밝힌 적이 있다. '조국 수사'가 딱 그랬다. 수사 개시 후 한 달간 진행된 압수수색만 무려 70여 건에 달했다. 그해 9월 23일 조국의 집에서는 그의 가족이 지켜보는 가운데 11시간에 걸친 압수수색이 벌어졌다. 수사팀은 수색을 진행하다 현장에서 추가로 압수수색영장을 발부받기도 했다. 처음부터 압수물을 특정하지 않고 일단 집으로 쳐들어간 뒤 건수가 될 만한 것들은 모두 쓸어 오겠다는 의도였다.

검찰의 언론플레이도 기승을 부렸다. 수사 내용 가운데 조국 일가에 불리한 것들이 집중적으로 언론에 공개되었다. 조국 딸의 생활기록부 내용을 포함해 혐의와 무관한 사생활까지 여과 없이 시시콜콜 보도되었다. 생활기록부의 경우는 검찰 출신 야당 의원이 자체 조사해 폭로한 것으로 알려졌지만, 교육부가 확인한 결과 조국 딸 본인과 검찰만 자료를 열람한 것으로 확인되기도 했다. 조국 측이 야당에 생활기록부 내용을 알려줄 리 만무했지만 검찰은 "우리와 무관한 일"이라고 잡아뗐다.

윤석열 사단의 언론플레이는 적폐 수사 내내, 특히 사법농단 수사에서 기승을 부렸다. 판사들을 참고인 조사한 당일에 조사 내용이 실시간으로 보도되는 일이 잦았다. 당연히 여론은 그들에게 불리하게 돌아갔다. 판사들은 "노무현 대통령 수사를 했던 옛 대검 중수부의 언론플레이를 보는 것 같다"라며 한동훈을 과거 노 전 대통령 수사 실무를 지휘했던 이인규(당시 대검 중수부장)에 빗대어 '리틀 이인규'라 부르기도 했다. 하지만 조국을 비롯한 청와대 참모진은 이를 모른 척했다. 검찰의 언론플레이는 무죄추정 원칙과 피의자 방어권 보장을 방해하는 적폐임에도 청와대는 아무런 조처를 하지 않았다. 어찌 보면 조국은 그 대가를 치른 셈이다.

애초 윤석열이 조국 사태를 '1호 사건'으로 점찍으며 내세운 명분은 사모펀드를 이용한 '권력형 비리'였다. 윤석열은 조국 일가가 권력을 등에 업고 사모펀드를 불법 운용하면서 부당 이득을 얻은 것처럼 몰아갔다. 대대적 압수수색이 있던 날 윤석열은 박상기 법무부 장관을 만나 이렇게 말했다. "내가 사모펀드 관련된 수사를 많이 해봐서 잘 안다. 사모펀드는 사기꾼들이나 하는 것인데, 어떻게 민정수석이 그런 걸 할 수 있느냐."[7] 그런 의혹을 받는 사람은 법무부 장관을 해서는 안 된다는 논리였다.

하지만 대법원까지 진행된 조국의 아내 정경심과 5촌 조카의 재판 결과 사모펀드를 이용한 비리 혐의는 모두 무죄로 판결이 났다. 검찰은 정경심이 남편의 5촌 조카와 공모해 사모펀드 운용사(코링크 PE)의 돈을 횡령했다고 기소했지만, 재판부는 공모 관계를 인정하지 않았다. 정경심은 사모펀드의 실소유자가 아니라 투자자였고, 5촌 조카의 횡령과는 무관하다고 판결했다.

재판부는 이 사건이 '권력형 비리'가 아니라고 봤다. 1심 재판부는 "정치권력과 검은 유착을 통해 상호 이익을 추구한 것이 이 범행의 주된 동기라는 시각이 있지만, 권력형 범행이라는 증거가 제출되지는 않았다"라고 했다. 정경심이 주식 거래를 하면서 자본시장법과 금융실명법을 위반한 '개인 비리'라는 게 재판부의 판단이었다. 윤석열이 본인의 상급자이자 지휘·감독권자가 될 조국 수사의 불가피성을 주장하며 내세운 혐의는 실체가 없다는 결론인 셈이다. 수사 경험이 많기로 둘째가라면 서러울 윤석열이 이를 몰랐다는 건 순진한 생각이다. 결국 윤석열은 조국을 낙마시키기 위해 정치적 수사를 '결심'한 것이라는 분석이 힘을 얻게 된다.

문재인 정권만 겨누다

윤석열 총장 체제의 검찰이 줄곧 문재인 정권만 겨냥한 것도 이런 분석에 힘을 싣는다. 임기가 절반이나 남은 정권이 추진하는 검찰개혁을 막으려면 조기 레임덕에 빠뜨려야 하는데, 레임덕으로 가는 가장 확실한 수단은 검찰 수사다. 마침 "살아 있는 권력도 엄정하게 수사하라('살권수')"라는 대통령의 지시도 있었으니 정권을 정면으로 겨누는 것에 부담을 가질 필요도 없었다.

'윤석열 검찰'은 이런 상황을 교묘하게 이용했다. 검찰개혁의 컨트롤타워이자 적폐청산의 심장부인 청와대를 집중타격한 것이다. 검찰개혁을 추진하는 청와대로선 정권을 향한 수사에 순순히 응할 수밖에 없었다. 윤 사단은 적폐 수사에서 물이 오른 정무감각을 '살권수'에서 유감없이 발휘했다. 2019년 조국 일가 수사에 이어 '울산시장 선거개입 의혹'과 '유재수 전 금융정책국장 감찰 무마 의혹' 등 청와대를 겨냥한 수사를 동시다발적으로 진행했다. 이듬해에는 '환경부 블랙리스트 의혹'과 '월성 1호기 원전 경제성평가 조작 의혹' 수사를 진행했다.

특이한 것은 이 수사들이 모두 '정치적 사건'이라는 점이다. 전통적으로 검찰이 수사한 권력형 비리는 고위공직자의 뇌물 등 독직 사건이나 재벌의 정치자금 제공과 같은 정경유착 사건이다. 하지만 '윤석열 검찰'의 '살권수'는 정권의 정치 행위를 겨냥했다. 국회를 비롯한 정치적 공간에서 '정치'를 통해 해결해야 할 사건에 사법적 잣대를 들이댄 것이다. 이는 검찰에 양날의 칼로 작용했다. 먼저 검찰의 존재감을 과시하는 효과가 있었다. 검찰이 집권당과 야당을 제치고 정국을 주도하는 상황이 전개된 것이다. 물론 이는 검찰의 정치적 편향 시비를 일으켰다. 야당에 유리한 수사만 골라서 하는 모양새가 되니 수사, 나아가 검찰 조직 자체에 대한 국민의 신뢰는 떨어질 수밖에 없었다. 검찰의 존재감이 커진 것은 검찰총장 이상의 야망을 품은 윤석열에겐 호재였다. 그것도 문 정권의 유력한 대항마로 떠오를 기회였다. 반면 정치적 편향 논란은 검찰 조직 전체에 두고두고 부담으로 남을 터였다.

유재수 감찰 무마 의혹 수사는 검찰의 '내로남불'로 비난받을 만했다. 검찰은 조국을 비롯한 청와대 참모들이 유재수의 비위 행위를 적발하고도 감찰을 중단하고 수사를 의뢰하지 않았다는 이유로 직무유기 혐의로 기소했다. 하지만 검찰은 2015년 부장검사를 비롯한 현직 검사 두 명이 후배 여성 검사들에게 성희롱·성폭행을 저지른 사실을 확인하고도 수사는커녕 징계도 없이 사표를 받는 선에서 마무리했다. 심지어 부장검사는 2억5000만 원의 명퇴금까지 챙겼다. 이들은 2018년 발족한 '검찰 성추행 사건 진상규명 및 피해회복 조사단'의 조사로 뒤늦게 재판에 넘겨져 벌금형과 실형을 선고받았다. 검찰의 '내부 비판자'로 잘 알려진 임은정 검사가 2018년 5월 이들을 눈감아준 당시 검찰 고위간부들을 직권남용과 직무유기 혐의로 고발했으나, 검찰은 2년여 뒤인 2020년 3월 불기소 처분했다. 유재수 감찰 무마 의혹 수사에 박차를 가하고 있던 때였다.

정치검찰 vs. 토사구팽

유재수 감찰 무마 의혹과 울산시장 선거개입 의혹 수사는 고발 시점과 수사 착수 시점에 큰 차이가 있었다. 검찰은 야당의 고발 이후 1년 가까이 사건을 묵혔다가 공교롭게도 조국 수사가 소강상태에 이를 즈음 본격적으로 수사를 진행했다. 이를 두고 '조국을 개인 비리로 기소하기가 쉽지 않으니 검찰이 계속 가지를 치는 게 아니냐'는 지적이 나왔다. 여권은 윤석열 사단이 2020년 4·15 총선에서 여당에 타격을 주기 위해 청와대로 수사를 확대하고 있다고 의심했다. 이인영 민주당 원내대표는 자유한국당(현 국민의힘) 의원들이 무더기로 고발된 패스트트랙 충돌 사건과 비교하면서 "검찰은 왜 한국당 앞에선 유독 작아지나. 한국당은 검찰개혁 저지를 위해 왜 극단적 무리수를 거듭하나. 이런 일이 과연 우연의 일치인지 국민은 의심하지 않을 수 없다. (야당과 검찰의) 검은 뒷거래 의혹이 사실이 아니길 바란다"라고 비판했다.

윤석열을 보는 여권의 태도도 180도 달라졌다. 윤석열을 '적폐청산의 아이콘'으로 띄우기 바쁘던 친문 인사들은 조국 일가에 대한 대대적인 수사 이후 그를 '정치검찰의 전형'으로 몰고 갔다. 문재인도 검찰개혁을 강조하며 불만을 드러냈다. 조국 자택에 대한 압수수색이 있은 지 나흘 만인 2019년 9월 27일, 문재인은 "검찰은 아무런 간섭 없이 전 검찰력을 동원해 (조국을) 엄정하게 수사하고 있는데도 검찰개혁 요구가 높아지고 있는 현실을 성찰해야 한다" "검찰은 국민을 상대로 공권력을 직접 행사하는 기관이므로 엄정하면서도 인권을 존중하는 절제된 검찰권의 행사가 중요하다"라는 메시지를 내놨다. 사흘 뒤인 30일에는 윤석열에게 검찰 수사 관행 등에 대한 개혁 방안을 마련하라는 지시를 내렸다.

대통령이 검찰 수사 중인 사건에 대해 언급하는 것은 외압과 검찰의 정치적 독립 시비를 낳기 때문에 자제하는 게 바람직하다. 문재인에게는 본받을 전례가 있었다. 그가 보좌한 노무현의 태도다. 노무현 대통령도 2003년 불법대선자금 수사에 불만이 많았다. 하지만 대통령의 공식적인 언급은 중간수사 결과 발표 뒤인 2004년 3월 11일에 나왔다. 노무현은 특별기자회견을 열어 "제 주변 사람들이 수사를 받는 모습을 전해 듣고, 너무 가혹해서 '억지로 균형을 맞추기 위해서 쥐어짜는 것 아니냐'는 느낌을 받았다. (…) 제 측근들은 수백만 원짜리까지 다 조사했던 모양이다. 수백 명이 수백 차례 소환되었고, 압수수색이 또 수백 회 이루어졌다. (…) 저도 인간적인 수모(를 겪고), 대통령의 품위(가 손상되었다), 그리고 수사하는 내용과 과정에 불만이 있다"라고 솔직하게 털어놨다.

하지만 노무현은 검찰을 감쌌다. 그는 기자회견 말미에 "검찰의 능력에 대해서 참으로 놀라움을 금할 수 없다. 보기에 따라서는 소름이 끼친다고 할 만큼 검찰은 유능했다. 때로는 너무 한다 싶은 때도 있었다. 그러나 냉정하게 생각해 보면 그러한 검찰이 한편 믿음직스럽다고 생각하고 그간의 노고를 치하한다"라고 했다. 노무현이 당시 청와대 회의에서 남긴 메모에는 "검찰, 지켜주자. 그리고 바로 세우자"라는 글귀가 적혀 있었다. 검찰도 미우나 고우나 자신이 책임지고 끌고 가야 할 기관으로 여긴 것이다.

이와 달리 문재인은 검찰개혁을 주문하는 데서 그쳤다. '윤석열 검찰'은 대통령의 이런 태도에 분노했다. 대검은 문 대통령의 발언이 공개된 뒤 "헌법 정신에 입각해 인권을 존중하는 바탕에서 법 절차에 따라 엄정히 수사하고 국민이 원하는 개혁에 최선을 다하겠다"라고 밝혔다. 윤석열은 서울중앙지검을 제외한 다른 검찰청의 특수부를 폐지하는 자체 검찰개혁 방안을 내놨다. 하지만 이는 대통령의 지시를 충실히 따른다기보다는 조국 수사를 계속하겠다는 의지를 강조한 액션이었다. 윤석열이 내놓은 방안은 진짜 개혁, 즉 검찰의 힘을 빼는 것과는 거리가 멀었다. 특수부를 형사부로 이름을 바꿔도 인지 수사는 계속할 수 있고, 검사 파견 형식으로 규모도 맘대로 늘릴 수 있기 때문이다.

윤석열의 이런 태도는 문재인 정권이 받아온 여론의 지지에 자신의 지분이 상당하다는 계산에서 비롯된 것이다. 문 정권의 적폐청산 과업에서 검찰이 가장 뛰어난 성과를 내고 있었기 때문이다. 반면 조국은 민정수석에 취임한 이후 고위공직자 인사검증 실패와 김태우 청와대 특별감찰반 수사관의 항명 사태 등으로 정권에 부담만 줬다. 앞서 밝혔듯 조국의 재임 기간 낙마한 차관급 이상 인사만 12명이었다. 청와대 특감반 사태는 그의 조직 장악 능력에 심각한 문제가 있음을 보여줬다. 그런 인물을 감싸고 도는 대통령을 윤석열은 이해할 수가 없었다. 윤석열 사단은 자신들이 아니었다면 이명박 대통령 비리나 삼성 바이오로직스 분식회계, 그리고 사법농단 수사까지 연달아 성공할 수 없었다고 여겼다. 이들에게 대통령과 여권의 돌변한 태도는 명백한 '토사구팽'이었다. 검찰의 칼이 정적을 겨냥할 때는 환호하다가 그 칼이 자신에게 향하자 부랴부랴 검찰에게서 칼을 빼앗으려는 얄팍한 꼼수로 보였다.

뒤늦은 개혁,
조국의 딜레마

조국은 2019년 9월 9일 법무부 장관에 취임하자마자 검찰개혁 '지시'를 쏟아냈다. 검찰 직접 수사(특별수사) 축소, 검찰 조직문화와 교육·승진 제도 개선, 형사사건 공개금지 훈령 제정 등 장관이 할 수 있는 거의 모든 조치를 망라했다. 그러나 조국의 개혁 조치는 힘을 받지 못했다. 이미 '내로남불' '토사구팽' 논란으로 개혁을 추진할 권위와 신뢰가 땅에 떨어졌기 때문이다. 이러한 분위기는 당시 여론조사에서 잘 나타난다. 2019년 9월 20일 공개된 한국갤럽 여론조사에서 조국이 법무부 장관에 적절한지를 묻는 질문에 '부적절' 의견이 54%로 나타났다. 또 대통령의 직무수행에 대한 부정적 평가가 취임 이후 처음으로 절반을 넘었는데(53%), 부정평가 이유 1순위가 '인사 문제'(29%)였다.

비슷한 시기 《MBC》-코리아리서치 여론조사에서도 법무부 장관 임명이 잘못되었다는 의견이 57.1%였다. SBS-칸타코리아 조사에서는 조 장관 임명 반대 의견이 53.0%로, 향후 검찰개혁 전망을 묻는 질문에 "조국 장관이 검찰개혁 적임자여서 잘 될 것"이라는 응답은 18.9%에 그친 반면, "가족 기소 등 조국 장관에게 흠결이 많아 잘 안될 것"이라는 응답이 35.9%로 더 많았다. 또 "야당 반발로 잘 안될 것"이라는 응답도 19.9%였다. 문재인이 조국에게 장관 임명장을 주면서 "권력기관 개혁에 성과를 보여줬다"라며 적임자로 치켜세운 것과 달리 모든 여론조사 응답자의 과반이 조국을 검찰개혁의 부적격으로 본 것이다.

조국의 뒤늦은 개혁 추진은 진정성도 의심받았다. 사실 집권 초기 검찰이 스스로 기득권을 내려놓겠다고 나섰을 때, 정작 적폐청산에 맛들인 청와대는 이를 모른 척했다. 문재인 정권 첫 검찰총장인 문무일은 2018년 3월 13일 국회 법사위에 출석해, "검찰이 의문을 받는 부분은 주로 특별수사, 인지 수사라고 생각합니다. (…) 상당히 축소해야 한다고 생각하고 있습니다"라고 말했다. 문무일은 여론의 요구에 호응해 검찰의 기득권(직접 수사 권한)을 줄이려는 의지가 강했다. 검찰개혁에 더할 나위 없는 기회였다.

하지만 당시 민정수석인 조국의 반응은 싸늘했다. 그는 문무일과 만난 자리에서 "현실적 (수사) 수요가 있다"라는 말을 한 것으로 전해진다.[2] '수요'란 적폐 수사를 가리켰다. 적폐 수사에는 검찰의 직접 수사 기능이 필요했다. 실제로 조국은 민정수석 재직 기간 서울중앙지검의 특수부 확대를 용인했다. 당시 청와대가 검찰의 '개혁'보다 '쓸모'에 더 관심이 많았음을 알 수 있다. 그랬던 조국은 검찰이 자신과 가족을 겨누기 시작하자 2019년 9월 국회 인사청문회에서 여당이 제기한 검찰 특수부 대폭 축소 제안에 "전적으로 동의한다"라고 답했다. 또 장관 취임 이틀 뒤인 9월 11일 발표한 '법무장관 2호 지시'에도 "검찰의 직접 수사 축소 방안을 수립하라"라는 지시가 담겼다. 민정수석에 있을 때와는 180도 달라진 태도다.

2

추미애가 쏘아 올린
정권교체론

최강욱: 과거에 대검 차장으로 근무하셨다가 지금 좌천되었다는 소리를 들으셨고….

조남관: 저는 좌천이라고 생각하지 않습니다.

최강욱: 검찰국장으로 재직하던 시절에 저한테 그러셨죠. "검찰은 총장이 결심을 하면 총장 마음대로 뜻대로 다 할 수밖에 없다"라고….

조남관: 저는 그런 말을 한 적이 없습니다.

최강욱: (목소리를 높이며) 기억이 안 납니까? 저한테 그러셨잖아요. 둘이 한 얘기를 지금 나는 기억하는데, 기억하지 못한다?

조남관: ….

2021년 10월 5일 국회에서 열린 법무부 국정감사에서 최강욱 열린민주당 의원은 조남관 당시 법무연수원장을 거세게 몰아붙였다. 목소리에는 노기가 실려 있었다. 최강욱만이 아니었다. 김용민 더불어민주당 의원도 조남관을 발언대로 불러 세워 대검 차장으로 근무할 때 판사 사찰 문건[*]을 봤는지 등을 따져 물었다.[**] 법무연수원장은 평소 국정감사장에서 마이크를 잡을 일이 거의 없는 자리다. 따라서 이날 조남관에게 여당 의원들이 질문 세례를 퍼부은 것은 이례적인 일이었다.

잘못된 만남

조남관이 여당의 타깃이 된 이유는 뭘까. 먼저 그가 어떤 이력을 가진 검사인지 살펴볼 필요가 있다. 조남관은 노무현 정권 때 청와대 특별감찰반장을 지냈다. 그는 노무현 전 대통령의 퇴임 때까지 문재인 비서실장, 전해철 민정수석 등과 함께 청와대를 지킨 뒤 검찰로

---

[*] 윤석열 검찰총장 시절 손준성 대검 수사정보정책관이 주요 사건 담당 재판부의 성향을 파악한 문건으로, 2020년 11월 추미애 법무부 장관이 윤 총장에 대한 징계를 청구한 사유 가운데 하나였다.

[**] 2021년 3월 19일 김용민 의원은 페이스북에 "정치검사 윤석열은 물러났으나 그 자리를 새롭게 조남관이라는 정치검사가 채웠다. 박범계 장관은 조남관을 교체해야 한다"라는 글을 올렸다. 당시 대검 차장이자 총장 권한대행 조남관이 '한명숙 전 총리 모해위증 교사 의혹 사건'을 불기소 처분했다는 게 이유였다. 조남관은 박범계 법무부 장관이 수사지휘권을 발동해 의혹 규명을 지시하자 고검장-대검 부장 회의에서 표결을 통해 불기소 처분을 내렸다.

복귀했다. 조남관은 검찰 안에서 보기 드문 친노 성향의 검사였다. 2009년 5월 노무현 전 대통령 서거 당시 2000여 명의 현직 검사 가운데 단 두 명이 김해 봉하마을 빈소에 다녀갔다고 알려졌는데, 그 중 한 명이 조남관이었다(다른 한 명은 윤대진이다). 그는 조문 소감을 검찰 내부 통신망에 올려 화제가 되기도 했다. 노골적 정치보복 수사가 불러온 죽음이었기에 당시 검찰은 이명박 대통령과 함께 성난 민심의 표적이 돼 있었다. 따라서 조남관의 공개적 조문은 검찰 수뇌부의 눈에 곱게 비칠 리 없었다. 이후 법무부에 잠시 머무른 그는 박근혜 정권 들어 지방을 전전했고, 문재인 정권 출범 직전에는 서울고검 검사로 있었다.

이런 이력의 소유자다 보니 자연스럽게 문 정권 출범 뒤 요직에 기용되었다. 그는 서훈 국정원장에 의해 국정원 감찰실장에 발탁되어 '국정원 적폐청산'을 주도한다. 조남관은 검찰 안팎에서 "문재인 정권의 마지막 검찰총장이 될 것"이라는 말이 나올 정도로 친문 진영의 신뢰를 받고 있었다. 1년간의 국정원 파견을 마친 뒤 검찰로 복귀해 검사장으로 승진했고, 추미애 법무부 장관 취임 후에는 검찰의 요직이자 장관의 핵심 참모인 법무부 검찰국장을 맡았다. 언론에서 그를 '추의 남자'라고 부를 정도로 장관의 총애를 받았다. 하지만 2020년 11월 발발한 '추-윤 갈등'이 그의 운명을 바꾼다. 문재인 정권의 검찰개혁을 마무리할 '믿을 만한 검사'에서 결정적인 순간에 윤석열 쪽에 선 '배신의 아이콘'이 되고 만 것이다. 조남관에게 추미애와의 인연은 '잘못된 만남'인 셈이다.

총리급 법무부 장관

조국 장관 사퇴 후 50여일 만인 2019년 12월 5일 발표된 추미애 법무부 장관 내정 소식은 뜻밖의 뉴스였다. 5선 의원에 집권여당 대표까지 지낸 추미애에게 국무총리라면 모를까 법무부 장관 자리는 어느 모로 보나 격에 맞지 않기 때문이다. 하지만 당시 문 정권으로선 선택의 여지가 없었다. '조국 낙마'로 기세등등한 윤석열과 검찰을 제압하려면 그에 걸맞은 체급의 인사가 필요한데, 적임을 찾기 어려울 뿐 아니라 그나마 눈에 띄는 후보들도 윤석열의 서슬에 눌려 손사래치는 상황이었다.

당시 윤석열의 기고만장을 보여주는 에피소드가 있다. 조국 사퇴 후 법무부 장관 부재가 이어지고 있을 무렵 윤석열은 서울중앙지법 인근 카페에서 박시환 전 대법관과 우연히 만났다. 박시환은 문재인 정권의 첫 대법원장 후보로 꼽혔지만 거듭된 청와대의 제안을 완곡히 거절한 뒤, 2018년부터 정부공직자윤리위원회 위원장을 맡고 있었다. 이날 그는 판사 시절부터 잘 알고 지내던 이용구 당시 법무부 법무실장 등을 만나기 위해 카페에 들른 참이었다.

윤석열은 평소와 다름없이 검찰 간부들과 술을 마시고 있었다. 그는 박시환 일행을 보자 반갑게 아는 체를 하면서 합석했다. 윤석열은 이용구와 사법연수원 동기(23기)였지만, 박시환과는 사석에서 처음 보는 사이였다. 그는 자리에 앉자마자 이용구에게 먼저 말을 걸었다. "용구야, 내가 오수(김오수)를 상대해야겠냐?" "아니, 그럼 장관 대행인데…."

당시 법무부 차관으로 장관 대행을 맡고 있던 김오수는 윤석열보다 세 살 어렸지만, 사법시험은 3기수 빨랐다. 그럼에도 윤석열은 김오수가 자신과 '급'이 안 맞는다고 여긴 것이다. 이용구가 시큰둥하게 반응하자 이번에는 대뜸 박시환에게 말을 건넸다. "형님, 형님이 장관으로 오시면 내가 잘 모시겠습니다." 형님(박시환은 윤석열보다 일곱 살 위다)이라며 제 딴엔 예의를 갖춘 듯했지만, 처음 보는 사이에 부적절한 언사였다. 듣기에 따라서는 '박시환 정도는 돼야 장관으로 인정하겠다'는 의미로 해석되는 말이다. 대통령이 인사권을 행사하는 직책에 있는 공직자가 할 소리는 더더욱 아니었다. 박시환은 의아한 표정으로 대꾸했다. "근데, 저를 아세요?" 그 자리에 있던 모두가 박장대소했다.

추미애는 이해찬 민주당 대표를 통해 '대통령의 뜻'을 전달받고 장관직을 받아들였다. 판사 출신으로 윤석열보다 나이도 많고 사법연수원 기수도 9기수나 앞선 추미애는 윤석열을 충분히 제압할 수 있을 것으로 보였다. 추미애로서도 법무부 장관직이 얻을 게 없는 자리는 아니었다. 검찰의 저항을 누르고 검찰개혁을 순조롭게 추진한다면 단숨에 유력한 대권 후보가 될 수 있었다. 정치적 운명을 걸

만한 승부수였던 셈이다.

추미애의 일격

추미애의 첫 작품은 검사장급 인사였다. 2020년 1월 3일 취임 닷새 만에 단행된 인사에서 그는 윤석열 사단으로 분류되는 검사장들을 일제히 지방으로 내려보냈다. 앞서 윤석열은 2019년 7월 검찰총장이 된 직후 검찰 고위간부 인사에서 이원석, 한동훈, 조상준, 이두봉, 박찬호 등 측근들을 대검 간부(검사장급)로 대거 승진시켰다. 당시 법무부 검찰국장 윤대진과 청와대 반부패비서관 박형철이 박상기 법무부 장관과 조국 민정수석을 구슬린 결과였다. 박상기와 조국이 검찰 내부 사정에 어두운 데다가, 적폐청산에서 윤석열의 공로를 무시할 수 없는 상황이 두루 작용한 것이다. 하지만 이 인사는 대검 형사부장과 공안부장까지 특수부 출신인 윤석열 사단으로 채우는 바람에 일선 형사·공안부 검사들의 강한 반발을 샀다. 이어진 검찰 중간간부 인사에서도 윤 사단이 요직을 휩쓸었다. 두 인사가 단행된 직후 불만을 품고 사표를 낸 검사만 60여 명에 달했다.[3]

추미애는 '형사·공판부 검사 우대' 원칙을 내세워 윤석열 사단을 지방으로 뿔뿔이 흩트리는 데 성공했다. 한동훈 등을 모두 대검에서 내쫓고 그 자리에 심재철 등 친정부 성향이거나 윤 사단에 속하지 않은 검사들을 배치했다. 이 인사는 형사·공안부장을 원래 보직

출신으로 채우고, 윤 사단의 요직 독점을 바로잡은 측면이 있었기에 일선 검사들 사이에서 좋은 평가가 나왔다. 반면 야권과 보수언론은 조국 일가 및 청와대 울산시장 선거개입 의혹 수사를 지휘한 한동훈과 박찬호를 지방으로 보낸 것을 보복 인사라고 강하게 비판했다.

총장 패싱 vs. 장관 항명

윤석열은 강하게 반발했다. 그는 '법무부 장관이 검찰 인사 때 검찰총장의 의견을 듣도록 한 검찰청법(제34조 1항)을 지키지 않았다'며 추미애의 첫 인사가 위법 소지가 있다고 주장했다. 그는 대검 공보관을 통해 "검찰 인사위원회 소집 30분 전에서야 총장 의견을 내라는 요청을 받았다"라며, 절차를 요식행위로 만든 '총장 패싱' 인사라고 주장했다. 이에 추미애는 2020년 1월 9일 국회 법사위에 출석해 "인사위 개최 30분 전이 아니라 그 전날에도 (윤 총장에게) 의견을 내라고 했고, 1시간 이상 통화하면서도 의견을 내라고 했다. 인사위 이후에도 의견 개진이 얼마든지 가능하다며 모든 일정을 취소하고 무려 6시간을 기다렸다. 하지만 검찰총장은 제3의 장소에서 구체적인 인사안을 갖고 오라면서 법령에도, 관례에도 없는 요구를 했다"라고 반박했다.

'검찰총장 의견 청취'가 구체적으로 어떻게, 어느 정도로 이뤄져야 하는지 명확하게 정해진 것은 없다. 따라서 어느 쪽의 주장이 옳

은지 가리기는 쉽지 않다. 윤석열의 주장은 '장관이 인사안을 먼저 보여줘야 총장이 의견을 낼지 말지 할 게 아니냐'는 것이지만, 이러면 장관이 총장에게 재가를 받는 모양새가 된다. 과거 정권처럼 장관-총장이 검찰 선후배 사이라면 넘어갈 수 있지만, 추-윤 관계처럼 출신이 다를뿐더러 검찰개혁을 두고 대립하는 사이라면 충돌이 생길 수밖에 없다. 특히 윤석열은 "총장은 장관의 부하가 아니다"라고 공공연하게 말하고 다닌 인물이다. 그런 마당에 검찰 선배도 아닌 추미애를 상관으로 대접할 리 없었다.

추미애와 윤석열의 '인사 갈등'은 이후에도 계속된다. 그것이 단지 두 사람의 감정싸움 탓만은 아니었다. '검찰총장 의견 청취'에 대한 명확한 기준이 없다는 데서 비롯된 구조적 문제도 있었다. 검찰총장 의견 청취는 노무현 정권 초기인 2003년 당시 강금실 법무부 장관과 송광수 검찰총장 간 인사 갈등을 계기로 법에 명문화되었다. 그 이전까지 검사장급 인사는 임명권자인 대통령을 대리한 청와대 민정수석과 제청권자인 법무부 장관, 그리고 검찰청 수장인 검찰총장이 협의를 거쳐 진행했다. 장관과 총장이 검찰 선후배 관계인 경우가 대부분이었기에 갈등을 빚을 일이 드물었다. 하지만 강금실은 판사 출신에 사법고시 기수도 송광수보다 한참 낮았다. 인사에 대한 인식이 검찰청 간부들과 같을 수가 없었다. 두 사람의 충돌 후 검찰은 장관과 총장이 검사 인사와 관련해 '협의'하도록 법에 명문화하길 원했지만, 법무부는 '장관의 인사권 침해 소지가 있다'며 맞섰다.

결국 '검찰총장 의견을 들어'라는 문구만 추가하는 쪽으로 검찰청법 개정이 이뤄졌다.

하지만 검찰 인사에서 검찰총장의 역할이 의견을 내는 데 그친다면 그것대로 문제가 있다. 총장에게 검사 인사와 관련해 장관과 협의하거나 조정할 권한이 없다면, 현 정권의 비리 수사에 참여한 검사들에 대한 인사상 불이익을 막을 수단이 사라진다. 이렇게 되면 '살아 있는 권력'에 대한 수사는 사실상 불가능하며, 집권 세력은 인사를 통해 검찰을 길들이려는 유혹에 빠지게 된다.

추미애도 이런 유혹에서 자유롭지 못했다. 그는 2020년 8월 단행한 검찰 중간간부 인사에서 청와대 관련 수사와 '라임펀드 비리 의혹' '유재수 전 금융정책국장 비위' 수사에 참여한 부장급 검사들을 모두 지방으로 보내 여론의 비난을 받았다. 과거 노무현 정권도 검찰의 수사에 시달렸지만, 수사에 참여한 부장급 이하 검사들을 보복성 인사로 날리지는 않았다. 추미애는 "검찰의 하나회" 같은 윤석열 사단을 해체하기 위한 "비정상의 정상화"라고 주장했지만[4] 설득력은 약했다. 이 인사로 앞서 검사장급 인사를 통해 얻은 점수를 거의 다 잃고 말았다.

추-윤 갈등의 뇌관, 한동훈

추미애와 윤석열의 검찰 인사 갈등은 전면전으로 확대되지는 않았다. 앞서 윤석열이 자기 측근을 대거 요직에 임명한 전과 때문에 그의 '총장 패싱' 주장이 힘을 받지 못한 것이다. 하지만 수면 아래서 부글부글 끓던 둘의 갈등은 두 달여 뒤 '한동훈-채널A 유착 의혹 사건'(검언유착 사건)으로 본격 점화한다.

이 사건은 추미애의 첫 인사 때 지방으로 좌천된 한동훈이 채널A 기자들과 공모해 유시민 전 노무현재단 이사장을 비롯한 여권 인사들의 비리를 캐내려고 했다는 의혹이다. 2020년 3월 31일 《MBC》 보도에 따르면, 채널A 이 아무개 기자가 당시 수감 중이던 이철 전 벨류인베스트코리아(VIK) 대표를 상대로 유시민 등 친여 인사 비위를 털어놓으라고 협박하면서 한동훈과의 친분을 언급했고, 한동훈도 여기에 공모했다는 것이다.

보도 내용대로라면 중대한 문제였다. 검사와 기자가 공모해 특정 인사의 비리를 캐내기 위해 궁지에 몰린 취재원을 회유하고 협박하는 것은 검찰권 남용이며, 정도에 따라서는 법적 책임을 져야 할 사안이다. 당연히 사실관계를 확인하고 위법성을 판단하는 조처가 필요했다. 여기까지는 추미애와 윤석열의 견해가 갈리지 않았다. 하지만 이 조처를 누가, 어떤 방식으로 할 것인지를 두고 양쪽은 강하게 대립했는데, 그 대상이 윤석열의 최측근인 한동훈인 탓에 '사생결단' 수준의 충돌이 벌어졌다.

윤석열은 진상조사, 즉 《MBC》 보도에 나오는 한동훈과 채널A 기자들의 대화 녹취록을 전부 확인한 뒤에 감찰 여부를 판단해야 한다고 주장했다. 당사자가 보도 내용을 전면 부인하는 상황에서 언론 보도만 갖고 검사장을 감찰할 수 없다는 논리였다. 통상적 '언론과의 소통'에 불과한 한동훈의 행위를 불법으로 몰아가려는 의도가 있다고 본 것이다. 반면 추미애는 강제수사권을 가진 대검 감찰본부가 감찰에 나서야 할 사안이라고 주장했다. 한동훈의 행위가 범죄에 해당한다고 본 것이다. 강제수사를 통해 신속하게 증거를 확보하고, 혐의가 확인되면 재판에 넘겨야 한다는 뜻이었다. 강제수사권이 없는 진상조사는 당사자의 증거인멸을 막지 못하기에 감찰 결과 혐의가 드러나더라도 수사를 제대로 할 수 없다는 논리다.

《MBC》 보도에 등장하는 대화 녹취록[*]만 봐서는 한동훈을 '공모자'로 단정하긴 어려웠다. 한동훈은 채널A 기자들과 제약업체 신라젠의 주가조작 사건과 유시민의 연루 가능성을 언급한 대화를 나누긴 했다. 그러나 한동훈의 다음과 같은 발언은 오히려 그의 결백을 입증하는 쪽에 가깝다. "유시민 씨가 어디서 뭘 했는지 나는 전혀 모르니. 그런 정치인이라든가…. 그 사람은 정치인도 아닌데 뭐. (신라젠 수사가) 정치인 수사도 아니고" "관심 없어. 그 사람 밑천 드러난 지 오래됐잖아" 등의 발언은 그가 신라젠 사건 수사와 무관한 부산고검 차장이라는 점과 맞물려 강력한 알리바이가 되었다.

---

[*] 2020년 2월 13일 당시 부산고검 차장 한동훈과 채널A 이 아무개, 백 아무개 기자가 부산고검 차장실에서 나눈 대화를 녹음한 것이다. 기자들은 당시 윤석열 총장의 부산고검 방문을 취재하기 위해 먼저 부산에 내려와 한동훈을 만났다.

한동훈을 감추다

그런데 한동훈과 채널A는 《MBC》 보도 직후 상식적으로 이해할 수 없는 태도를 보였다. 채널A는 이 녹취록에 한동훈이 등장한다는 사실을 감추려고 기를 썼다. 한동훈에게 결코 불리한 내용이 아닌데도 채널A는 한동훈의 존재를 덮기 위해 혈안이었다. 방송통신위원회가 2020년 4월 9일 개최한 '의견청취'에 출석한 김재호 동아일보·채널A 사주와 김차수 채널A 공동대표는 녹취록에 등장하는 인물이 한동훈이라는 사실을 끝까지 밝히지 않다가 마지못해 인정해놓고는 회의가 끝난 뒤 다시 이를 정정해달라고 요구했다. 당시 회의 녹취록에 다음과 같은 대목이 나온다.

> 방통위원: 제가 하나 ○○○께 다시 한 번 정중하게 묻습니다. 이 자리는 엄중합니다. 법조계 관계자가 언론에 보도된 (한동훈) 검사장 맞습니까, 안 맞습니까? 대답하세요. 맞습니까, 안 맞습니까?
>
> 채널A 대표: 제가 조사할 때는 검사장 이름을 거론했습니다.
>
> 방통위원: 나는 이름은 관심 없습니다. 검사장 맞나, 안 맞나 그것만 묻는 것입니다.
>
> 채널A 대표: 그것을 확인하지는 못한 것이지요. 그 검사….
>
> 방통위원: 지금 무슨 이야기를 하고 있습니까? 아까 법조 관계자라고 이야기했는데, 방금 검사장 이름을 이야기했다고 했지요?

채널A 대표: 예.

방통위원: 그래서 저는 검사장 이름은 묻지 않고 그 검사장 맞느냐고만 묻는 것입니다, 맞습니까?

채널A 대표: ….(고개를 끄덕임)

방통위원: 예, 됐습니다. 검사장이라고 인정했습니다.

(채널A 관계자 퇴장)

방통위원 A: 채널A 대표가 다시 또 정정 발언할 것이 있다는데…

방통위원 B: 끝났습니다.

한상혁 방통위원장: 나중에 문서로 달라고 하십시오.[5]

발언을 정정할 기회를 얻지 못한 김차수는 회의가 끝난 뒤 '의견 청취 관련 의견 제출'이라는 제목의 다음과 같은 문서를 제출했다.

2020년 4월 9일 실시한 의견청취와 관련, 채널A 진상조사위원회는 해당 기자의 조사과정에서 《MBC》가 보도한 녹취록이 특정인의 것임을 아직 객관적으로 확인하지 못했습니다. 녹취록이 특정인의 것이라고 한 진술이 있지만 그렇지 않다고 한 진술도 있으므로 신뢰성이 떨어지며 객관적 근거로 확인되어야 합니다. 사실이 확인되지 않은 내용이 마치 진상조사위원회의 조사 결과처럼 발표될 경우 법적인 책임이 발생할 우려가 있습니다. 해당 사항을 참고해주실 것을 요청드립니다.

하지만 이로부터 3개월 뒤 채널A 이 아무개 기자가 공개한 문제의 녹취록에는 대화 상대가 한동훈이라는 것이 명백하게 드러나 있었다. 따라서 김차수가 제출한 의견서는 한동훈을 보호하기 위해 허위로 작성한 것이거나, 기자들의 거짓말에 회사 대표들이 놀아난 결과로 볼 수밖에 없었다.

감찰 사유
차고 넘쳤지만

한동훈도 《MBC》 보도 직후 이 녹취록의 존재를 강하게 부인했다. 보도 당일 밤 《조선일보》는 한동훈의 입장을 담은 〈검사장 "신라젠 사건 알지도 못한다" MBC 보도 반박〉이란 제목의 온라인 기사를 출고했다.[6] 보도에 따르면, 한 검사장은 "《MBC》 기자가 입수했다고 말씀하신, 제가 신라젠 사건 관련 (채널A 기자와) 대화를 하는 것이 녹음된 녹취록이 존재할 수도 없다"라고 반박했다. 하지만 나중에 녹취록이 공개되었을 때 그는 녹취록에 나오는 자신의 발언을 근거로 거꾸로 결백함을 주장하는 순발력(!)을 과시했다.

더욱이 나중에 검찰 수사에서 드러난 사실은 한동훈과 채널A 기자들의 수상한 행적을 더욱 부각시켰다. 먼저 채널A 이 아무개 기자의 증거인멸 행위다. 이 기자는 《MBC》 보도 직후인 2020년 4월 2일부터 17일 사이에 자신의 휴대전화와 노트북을 포맷하고, 카카오톡 메시지를 모두 삭제했다. 그뿐만 아니라 대역을 동원해 한동훈의 목소리를 흉내 내게 한 뒤 이를 녹음하려고까지 했다. 이러한 증거인멸 행위는 공개된 녹취록 말고도 이들이 신라젠 사건과 관련해 주고받은 통화나 문자메시지가 더 있을 뿐 아니라, 그 내용들은 공개된 녹취록과 사뭇 다른 게 아니냐는 의심을 불러 일으켰다. 이 기자는 신라젠 취재를 본격적으로 시작한 2020년 1월 26일부터 회사로부터 취재 중단 지시를 받은 3월 22일까지 한동훈과 18회의 통화를 비롯해 카카오톡 문자메시지 등 모두 327회에 걸쳐 연락을 취한 것으로 드러났다.

또 다른 수상한 정황은 한동훈의 휴대전화였다. 검찰 수사 과정에서 드러난 통신기록(통화와 카카오톡 메시지 포함)을 보면, 한동훈은 윤석열과 2020년 2월부터 4월까지 두 달간 2700회가 넘는 통신을 했고, 《MBC》 보도 이후 8일 동안 약 110회의 통신을 주고받았다. 한동훈은 심지어 윤석열의 부인 김건희와도 2020년 1월부터 4월까지 9차례 통화했고, 2월~4월에는 무려 332회나 카톡 메시지를 주고받았다.[7]

한동훈은 2022년 5월 9일 열린 자신의 법무부 장관 인사청문회에서 김건희와 자주 연락한 이유를 "(당시 윤 총장과) 연락되지 않을 경우 총장 사모를 통해 연락한 것"이라고 해명했다. 하지만 아무리 측근이라 할지라도 그 부인과 두 달 동안 300회가 넘는 카톡 메시지를 주고받은 것은 이례적이다. 총장이 전화를 안 받으면 문자 메시지를 남기거나, 촌각을 다투는 일이면 총장을 바꿔달라고 해서 직접 통화하는 게 상식적이다. 또 한동훈은 김건희와 수사 제보를 주고받을 정도로 가까운 사이라는 의심도 받았다. 2021년 10월 13일 김건희가 이명수《서울의 소리》기자와 나눈 통화 녹취록에 다음과 같은 대목이 나온다.[8]

이명수: 한동훈 형 전화번호 몰라?

김건희: 한동훈?

이명수: 응.

김건희: 왜? 무슨 일 있어?

이명수: 내가 제보 좀 할 게 몇 개 있긴 있는데

김건희: 그럼 나한테 줘. 아니 나한테 주는 게 아니라 내가 번호를 줄 테니까 거기다가 해. 내가 한동훈이한테 전달하라 그럴게.

이명수: 그래요?

김건희: 응, 그게 몰래 해야지. 동생 말조심해. 너도 어디 가서 절대 말조심해야 돼.

윤석열의 집요한 수사 방해

당시 윤석열은 검찰총장을 사퇴한 뒤 국민의힘 대선후보 경선에 참여하고 있었다. 그럼에도 김건희는 더이상 '남편의 부하'가 아닌 한동훈에게 제보를 전달해주겠다고 스스럼없이 말한 것이다. 한동훈은 이 녹취록이 공개되자 언론에 배포한 자료를 통해 "네 번 좌천당해 검찰에서 쫓겨나 수사권도 없는 법원 소속 사법연수원에 있는 사람에게 범죄제보를 한다는 건 말도 안 되는 소리다. 당연히 누구로부터 제보 비슷한 것도 없었고, 저는 (윤 후보의) 총장 퇴임 이후 김(건희) 씨와 연락하지 않았다"라고 밝혔다. 하지만 이런 해명만으로 의혹을 잠재우기는 역부족이었다. 한동훈의 휴대전화는 채널A 기자와 어떤 내용의 문자메시지를 주고받았는지 확인하기 위해서라도 조사가 필요했지만, 검찰은 무려 24자리의 비밀번호가 걸린 그의 휴대전화 잠금장치를 끝내 풀지 못했다(검찰은 20대 대선이 끝난 직후인 2022년 4월 그를 '증거 불충분'으로 불기소 처분했다. 검찰은 "현재 기술력으로는 잠금 해제 시도가 더 이상 실효성이 없다"라고 밝혔다).

이처럼 채널A 사건에 대한 감찰의 필요성은 차고 넘쳤지만, 윤석열은 대검 감찰본부의 감찰을 집요하게 방해했다. 당시 대검 감찰본부장 한동수는 2022년 5월 한동훈의 법무부 장관 인사청문회에 증인으로 출석해 당시 윤석열의 감찰 방해 행위를 적나라하게 증언했다. 그에 따르면 《MBC》 보도 직후인 2020년 4월 2일 윤석열은 한동수로부터 한동훈에 대한 감찰 계획을 보고받았지만 이를 무시하고 대검 인권부에 '진상조사'를 지시했다. 감찰본부는 강제수사 권한이 있지만 인권부는 그렇지 않았다. 따라서 인권부의 진상조사는 한동훈에게 면죄부를 주는 것으로 끝날 공산이 컸다. 이를 잘 알고 있는 한동수가 "그럼 감찰본부에서도 병행하겠다"라고 하자 윤석열은 "쇼하지 말라"라고 격분하면서 끝까지 감찰을 막았다.

윤석열은 한동수가 감찰 계획을 보고한 당일에만 한동훈과 17차례나 통화한 것으로 드러났다. 이뿐만 아니다. 윤석열은《MBC》보도 직후 채널A 쪽에 문제의 녹음 파일이 있는지 직접 물어본 정황도 드러났다.[9] 채널A 기자의 재판기록에 따르면, 당시 채널A 법조팀장은《MBC》보도 사흘 후인 2020년 4월 2일 "윤석열 총장이 ○○○ 기자 통해서 계속 물어오고 있나 봐요. (한동훈-이동재) 음성 파일요"라는 카톡 메시지를 회사 단체대화방에 올렸다. 이 메시지 내용이 사실이라면, 윤석열은 공식 감찰은 계속 방해하면서 개인적으로 아는 기자와 접촉해 자신의 최측근이 연루된 사건 내용을 직접 알아본 것이다.

측근이 감찰 대상이 될 경우, 조직의 수장은 오해를 피하기 위해서라도 감찰에 개입하지 않는 게 마땅하다. 메시지 속 윤석열의 행위는 검사의 양심에 반하는 행동일 뿐만 아니라 '검찰청 공무원행동강령'을 위반한 것이기도 했다. 검찰청 공무원행동강령 제5조(①항의 6)에 따르면 '학연, 지연, 종교, 직연 또는 채용 동기 등 지속적인 친분관계가 있어 공정한 직무수행이 어렵다고 판단되는 자가 직무관련자인 경우'에는 직무를 회피하거나 대리자를 지정하는 등의 조처를 취해야 한다. 윤석열과 한동훈은 끈끈한 '직연'으로 얽힌 관계였다.

한동훈 아이폰 압수에
핏발 선 윤석열

윤석열의 감찰 방해는 결과적으로 채널A 기자들의 증거인멸을 도왔다. 윤석열의 징계청구 취소소송을 심리한 서울행정법원 행정12부(재판장 정용석)는 2021년 10월 14일 윤석열에게 패소 판결을 내리면서, "이 아무개 기자 등 채널A 사건 관련자들이 휴대폰 등을 초기화하여 증거를 인멸한 시기 등에 비추어 보면, 이 사건 감찰이 적시에 개시되고 그에 따라 신속한 수사가 진행되었다면 보다 많은 중요 증거들이 수집되었을 가능성을 배제하기 어렵다"라고 판결문에 적시했다.* 윤석열의 징계 사유를 각종 증거와 증인신문 등을 통해 꼼꼼히 따져본 재판부가 윤석열의 감찰 방해로 이 사건의 실체적 진실 규명이 불가능해졌음을 에둘러 지적한 것이다.

윤석열은 이후 진행된 한동훈에 대한 검찰 수사도 방해했다. 2020년 4월 민주언론시민연합이 채널A 기자들과 한동훈을 협박

---

* 서울행정법원 행정12부는 윤석열 전 총장의 △재판부 사찰 문건 작성·배포 △채널A 사건 감찰 방해 △채널A 사건 수사 방해 행위를 징계사유로 인정해 윤석열이 법무부 장관을 상대로 낸 징계처분 취소소송에서 원고 패소 판결했다. 재판부는 "검찰 사무의 적법성과 공정성을 해치는 중대한 비위 행위"라며 윤석열에 대한 징계는 정당하다고 판단했고, 오히려 "면직까지 가능하기 때문에 정직 2개월의 징계는 가볍다"라고 했다.

및 강요미수 혐의로 고발하자 검찰이 수사에 착수했는데,[*] 윤석열은 이 수사가 정상적으로 진행되는 것을 막으려고 혈안이 되었다. 윤석열은 2020년 6월 한동훈이 피의자로 특정되자 곧바로 수사지휘권을 대검 부장회의에 위임하고 손을 떼겠다고 밝혔다. 하지만 얼마 뒤 검찰이 한동훈의 휴대폰을 압수하자 태도를 확 바꿨다. 윤석열은 때마침 채널A 이 아무개 기자의 변호인이 전문수사자문단 소집을 요청한 사실을 보고 받고 이를 핑계로 전문수사자문단 소집을 지시했다. 수사지휘를 대검 부장들에게 위임해놓고도 한동훈의 휴대폰이 압수되자 뜬금없이 외부 인사로 구성된 자문단에 수사 지속 여부에 대한 판단을 맡기라고 지시한 것이다. 대검 부장들은 전문수사자문단 소집에 반대했다. 윤석열의 징계 사유를 심리한 재판부는 그의 이러한 행동이 한동훈을 보호하려는 목적이 있는 것으로 판단했다.

재판부는 당시 대검 형사부장 김관정의 진술을 판결문에 적시했다. "진술인(김관정)이 압수사실을 보고하자 원고는 충격을 받은 모습을 보였고, 총장실을 나오면서 차장검사(구본선 대검 차장)와 '원고가 너무 충격을 받은 것 같다'라고 서로 말을 했던 기억이 있습니다." 이 진술은 한동훈의 휴대전화에 뭔가 문제가 될 만한 내용이 담

***

[*]　채널A 이 아무개, 백 아무개 기자는 2020년 8월 기소됐으나 이듬해 7월 1심에서 무죄가 선고되었고, 현재 2심이 진행 중이다.

긴 게 아니냐는 의심을 불러일으켰다.* 그렇지 않고서야 윤석열이 자기 휴대전화가 압수된 것도 아닌데 충격까지 받을 이유가 없기 때문이다. 재판부는 윤석열의 이러한 지시를 한동훈을 보호하기 위한 '수사 개입'이라고 봤다. 재판부는 "전문수사자문단 심의 대상에는 한동훈의 기소 여부도 포함될 텐데, 휴대폰 압수수색 외에는 별다른 수사가 이뤄지지 않은 상태에서 한동훈에게 유리한 방향으로 (사건을) 일찍 종결시키려는 의도가 있었다고 의심을 살 수 있는 부당한 조치였다"라고 판단했다.

---

* 한동훈은 2020년 4월 총선을 앞두고 검찰이 유시민 등 당시 여권인사들에 대한 고발을 야당에 사주했다는 '고발사주' 의혹에도 연루됐는데, 당시 통화 기록을 보면 한동훈은 윤석열과 통화한 뒤 고발사주 의혹의 핵심인물인 손준성 대검 수사정보정책관과 수차례 카톡 메시지를 주고받은 것으로 드러났다. 통화내역을 보면 한동훈은 4월 1일 윤석열과 전화통화 12회를 하고 대검 대변인과 손준성이 함께 있는 카톡방에서 45회 대화를 나눴다. 4월 2일에도 한동훈은 윤석열과 전화통화 17회를, 대검 대변인-손준성 카톡방에서 30회 대화를 나눴다. 그리고 4월 3일에는 손준성이 첫 번째 고발장을 텔레그램을 통해 김웅 국민의힘 의원에게 전달했다. 통화내역을 종합하면, 2020년 3월 31일 《MBC》의 검언유착 의혹 보도 이튿날인 4월 1일과 2일 윤석열·한동훈·손준성 사이에 잦은 연락이 이뤄졌고, 4월 3일 '손준성 보냄'이라고 기재된 텔레그램 메시지를 통해 범여권 인사와 언론인 등에 대한 고발장이, 4월 8일에는 최강욱 의원의 고발장이 김웅 국민의힘 의원에게 전달된 것이다. 따라서 한동훈의 휴대폰에는 이들이 어떤 내용의 대화를 주고받았는지 알 수 있는 단서가 있을 것이라는 합리적 의심이 제기된다.

양날의 칼, 수사지휘권

추미애는 윤석열의 '한동훈 비호'를 막기 위해 수사지휘권을 발동했다. 그는 2020년 7월 2일 윤석열 앞으로 다음과 같은 내용의 '수사지휘문'을 보냈다.

1. 수사가 계속 중인 상황에서 '전문수사자문단'의 심의를 통해 성급히 최종결론을 내리는 것은 진상 규명에 지장을 초래할 수 있으므로 현재 진행 중인 전문수사자문단 심의 절차를 중단할 것을 지휘함.

2. 본 건은 사회적 이목이 집중된 현직 검사장의 범죄혐의와 관련된 사건이므로 공정하고 엄정한 수사를 보장하기 위하여 서울중앙지검 수사팀이 대검찰청 등 상급자의 지휘감독을 받지 아니하고 독립적으로 수사한 후 수사결과만을 검찰총장에게 보고하도록 조치할 것을 지휘함.

수사지휘권 발동은 '법무부 장관은 검찰사무의 최고 감독자로서 일반적으로 검사를 지휘·감독하고, 구체적 사건에 대하여는 검찰총장만을 지휘·감독한다'는 검찰청법 제8조에 근거한 것이었다. 추미애의 수사지휘권 발동은 형식은 물론 내용적으로도 흠잡을 데가 없었다. 검찰총장이 자신의 측근에 대한 감찰과 수사를 방해하기 위해 검찰청 공무원행동강령과 대검 예규를 어겨가며 부당한 행위를 일

삼는 것을 막았기 때문이다. 명분도 충분했다. 검찰총장의 최측근이 연루된 사건일수록 최대한 공정하게 수사해야 국민이 검찰을 신뢰한다는 메시지를 담고 있었기 때문이다.

하지만 법무부 장관의 수사지휘권 발동은 '양날의 칼'이다. 형식과 내용이 완벽하고 명분이 충분하더라도 한번 발동하면 그 대가를 치른다. 검찰은 행정부(법무부)에 속해 있지만 법을 구체적 사건에 적용하는 '준사법 기능'을 수행하기 때문에 사법부 수준의 정치적 독립성이 요구되는 측면이 있다. 법무부 장관의 수사지휘는 검찰의 정치적 독립성을 침해한다. 따라서 아무리 명문화된 권한이라도 실제 행사는 극도로 자제해야 한다. 법무부 장관이 권한을 자제하지 않으면 검찰은 정치적 독립성을 지키기 위해 저항하기 마련이다.

수사지휘권 발동과
물 건너간 검찰개혁

노무현 정권 때인 2005년 당시 천정배 법무부 장관의 수사지휘권 발동은 이러한 점을 잘 보여준다. 천정배는 당시 강정구 동국대 교수의 국가보안법(국보법) 위반 사건에서 김종빈 검찰총장에게 불구속 수사를 지휘했다. 강 교수는 2005년 7월 한 인터넷 매체에 한국전쟁을 "북한의 지도자가 시도한 통일전쟁이었다"라고 주장하는 글을 실어 국보법 위반 혐의로 수사를 받게 되었다. 그의 혐의는 별로 무겁지 않았고 증거인멸과 도주 우려도 없었기 때문에 구속할 필요가 없었다. 이후 진행된 재판에서 법원이 강 교수에게 집행유예를 선고한 것에서 확인할 수 있듯 중대한 범죄가 아니었다. 노무현 정권 들어 국보법 관련 구속 비율도 많이 줄었는데, 2002년 56.7%이던 것이 2007년에 27.4%까지 떨어졌다.[10] 당시 법원이 주도한 '불구속 수사 원칙'으로 구속영장 기각률도 높아지는 추세였다.

하지만 김종빈은 천정배에게 구속 수사를 하겠다고 보고했다. 여기에는 당시 검찰과 경찰의 최대 현안인 '수사권 조정'을 둘러싼 갈등이 작용했다. 강 교수 사건은 경찰이 먼저 수사에 착수했는데, 당시 허준영 경찰청장이 국회에 출석해서 "강 교수를 구속 수사하겠다"라고 떠들고 다녔다. 당시 국회는 여소야대 상황이었고, 야당인 한나라당은 강 교수를 반드시 구속해야 한다고 주장했다. 만약 검찰이 강 교수를 불구속한다면 한나라당이 수사권 조정 협의 때 경찰편에 서게 될 것이라는 게 검찰 수뇌부의 판단이었다. 김종빈은 이런 이유를 들어 불구속 수사지휘에 난색을 표했다. 그러자 천정배는 "내가 정치인이고 국무위원이니까 내가 정치적인 책임을 지겠다"[11]라며 서면을 통해 공식적으로 수사지휘를 하겠다고 통보했다. 그는 2005년 10월 12일 검찰총장 앞으로 강 교수를 불구속 수사하라는 '수사지휘서'를 내려보냈다.

이처럼 2005년의 수사지휘권 발동 원인은 특정 사건에 대한 법무부 장관과 검찰총장의 의견 대립이 아니었다. 그보다는 검경 수사권 조정 국면에서 정치적 유불리에 대한 검찰 수뇌부의 판단이 개입된 사안이었다. 그러나 구속 여부 판단은 검찰의 고유 권한이라고 여기는 일선 검사들에게 장관의 수사지휘는 (정당성과 무관하게) 검찰의 독립성을 침해하는 행위였다. 대검 과장급 이하 검사들은 긴급회의를 연 뒤 김종빈에게 총장 자리에서 물러날 것을 강하게 건의했다. 장관의 수사지휘가 부당하다는 점을 자진사퇴로 보여달라는 요구였다. 일선 검사들도 평검사 회의를 소집하는 등 거세게 반발했다. 건의를 받아들인 김종빈은 사표를 제출했다. 노무현 대통령은 천정배에게 "흔들리지 말고 장관이 중심이 돼 사태를 잘 수습하도록 노력해달라"라고 당부하면서 김종빈의 사표를 수리했다.

수사지휘권 파동은 겉으로는 천정배의 깔끔한 승리로 끝난 것처럼 보였지만 실상은 달랐다. 천정배는 이 사건 이후 검찰개혁을 시도하지 못했다. 수사지휘권 행사가 검찰이 정권의 검찰개혁에 본격적으로 저항하는 계기가 된 것이다. 당시 청와대에서 이 과정을 지켜본 문재인은 "천정배 장관과 검찰 사이의 갈등을 워낙 증폭시켜, 말하자면 천 장관이 검찰과 함께 같은 개혁의 대열에 나서기가 참 어렵게 되었다"라고 평가했다.

법무부 장관이 수사지휘권 행사를 통해 대통령에게 부담을 줬다는 평가도 있다. 당시 청와대 민정비서관 전해철은 "법무부 장관도 검찰총장도 다 대통령 참모들이다. 큰 틀의 개혁을 이루기 위해 원만하게 처리하는 것이 좋을 수 있다. 장관은 내각의 일원이자 대통령의 참모로서 권한 행사의 적정성을 신중히 검토해야 한다"라고 밝혔다.[12] 검찰개혁의 임무를 부여받은 법무부 장관이 개혁을 시도조차 못한 것은 뼈아픈 대가였다.

확산되는 윤석열 동정론

이처럼 수사지휘권은 리스크가 큰 카드지만, 추미애는 채널A 사건 이후 3개월여 만인 10월 19일 또다시 이 카드를 꺼내 든다. 이번에는 윤석열과 그 가족 관련 사건 4건과 라임 펀드 사건 등 총 5개 사건과 관련해 검찰총장의 수사지휘권을 박탈하는 내용이었다. 수사팀이 대검 등 상급자의 지휘·감독을 받지 않고 독립적으로 수사한후 그 결과만을 검찰총장에게 보고하도록 한 것이다. 하지만 앞서 채널A 사건 때와 달리 이번에는 명분이 약했다. 추미애는 윤석열의 장모와 아내에 대한 수사가 속도를 내지 못한 까닭을 윤석열의 수사 방해와 수사팀의 총장 눈치 보기가 복합적으로 작용한 것으로 판단했다. 이는 지나친 감이 있는 조치였다. 수사가 더딘 사건마다 검찰총장의 지휘권을 박탈할 수는 없는 노릇이기 때문이다. 무엇보다 윤석열은 자신의 가족이 연루된 사건에 대한 보고를 받지 않고 있었다.

결국 2차 수사지휘권 발동은 곧바로 역풍을 맞았다. 뼈아픈 일은 검찰 안에서 윤석열을 동정하는 여론이 크게 확산되었다는 것이다.

앞서 윤석열의 '제 식구 챙기기' 인사에 불만을 품은 검사들조차 추미애에게 등을 돌리기 시작했다. 이는 법무부 장관이 주도하는 검찰 개혁에 매우 나쁜 신호였다.

여권 인사들에게도 추미애의 강공 드라이브는 이해하기 어려운 측면이 있었다. 2020년 4월 총선에서 여당(더불어민주당+더불어시민당)이 국회 의석의 과반이 넘는 압승(180석)을 거뒀기 때문에 윤석열은 '식물 총장'이나 다름없는 상태였다. 그가 '조국 수사'를 비롯해 문 정권을 겨냥한 수사를 동시다발적으로 밀어붙였지만, 민심은 오히려 문 정권에 힘을 실어줬다. 따라서 여권 인사들이 보기에 그냥 놔두면 제풀에 스러질 윤석열을, 추미애가 거듭된 수사지휘권 행사로 되레 키워준 꼴이 된 것이다.

추미애가 윤석열을 몰아붙인 데는 이유가 있었다. 추미애는 장관 인사청문회에서 그의 아들이 군 복무 시절 휴가와 관련해 특혜를 받았다는 의혹이 제기돼 곤욕을 치렀다. 아들이 카투사로 근무하던 2017년, 무릎 부상을 이유로 휴가를 나갔다가 제때 복귀하지 않았고 이를 무마하기 위해 휴가를 연장할 수 있도록 군부대에 압력을 행사했다는 의혹이었다. 보수 성향 시민단체의 고발로 수사에 착수한 검찰은 1년 넘게 시간을 끌다가 "병가 등 휴가 신청 및 사용 과정에서 위계나 외압이 있었다고 보기 어렵다"라며 무혐의 처분했다. 추미애는 검찰이 죄가 안 되는 것을 뻔히 알면서도 자신을 망신 수려고 수시를 질질 끈다고 생각했다. 검찰 인사 등으로 검찰총장과 갈등을 빚자 장관의 아들을 인질로 삼아 압박했다고 본 것이다.

실제로 수사 초기에 수사팀이 보여준 행태는 이런 의심을 살 만했다. 추미애 아들이 자신의 휴대전화를 변호사를 통해 제출하려고 했지만, 수사팀은 이를 거부하고 압수수색영장을 발부받아 휴대전화를 확보했다. 일단 압수수색 보도가 나가면 여론은 뭔가 혐의가 있다고 여기는 점을 노린 것이다. 수사팀은 또 추미애 아들의 병원 진단서를 확보하기 위해 삼성서울병원을 압수수색했는데, 이것도 불필요한 수사였다. 병원에 원본이 버젓이 있는 진단서를 위조해서 제출할 가능성은 없기 때문이다. 더욱이 수사팀이 진단서를 확보하면서 병원에 발급 수수료를 내지 않은 바람에 나중에 추미애 아들이 진단서를 발급받으려다 '미납 수수료' 사유로 거절당하는 황당한 일도 있었다. 추미애는 "검찰이 현직 장관한테도 이렇게 하는데, 일반인들은 어떻게 대하겠나"라고 일갈했다. 그의 분노는 전임 장관 조국의 가족에게 벌어진 검찰의 무자비한 수사와 오버랩 되며 윤석열에 대한 증오로 번졌다.

마주 보고 달리는 추-윤

추미애는 결국 폭발했다. 그는 2020년 11월 24일 윤석열에 대한 징계 청구와 직무집행정지를 명령한다. 검찰총장에 대한 징계 청구와 직무 정지(직무 배제)는 모두 헌정 사상 처음 있는 일이었다. 징계 청구 사유는 ①중앙일보 사주와의 부적절한 만남 ②주요 사건 재판부 판사에 대한 불법사찰 ③채널A 사건 및 한명숙 전 총리 사건 수사 및 감찰 방해 ④채널A 사건 감찰 관련 정보유출 ⑤검사로서 정치적 중립에 관한 위신 손상 ⑥법무부 장관의 감찰에 관한 협조의무 위반 및 감찰방해 등 6가지다.

윤석열도 가만 있지 않았다. 그는 이튿날 서울행정법원에 직무집행정지 효력을 정지해달라는 가처분 신청과 함께 본안 소송을 냈다. 검찰은 쑥대밭이 되었다. 전국 일선 검사장 20명 가운데 17명, 전국 일선 고검장 6명 전원이 장관의 결정에 반대하는 입장문을 냈다. 추미애와 윤석열의 갈등 여파가 검찰 조직 전체로 번지기 시작한 것이다.

'추-윤 충돌'은 검찰 내부의 여론이 윤석열 쪽으로 완전히 기우는 계기가 된다. 이전까지 윤석열과 그의 사단에 반감을 가진 검사들도 추미애의 강공에 등을 돌리고 말았다. 검찰개혁의 취지에 공감하던 검사들이 개혁의 대오에서 이탈하기 시작한 것이다. 문재인 정권으로선 뼈저린 실책이었다. 2000여 명의 검사들을 모두 적으로 돌린다면 검찰개혁은 사실상 물 건너가기 때문이다.

그 가운데서도 조남관의 이탈은 치명적이었다. 그는 법무부 검찰국장으로 추미애를 보좌할 때 "장관님께서 검사들의 마음을 얻어야 합니다"라는 조언을 자주 했다. 일선 검사의 지지를 받지 못하면 검찰개혁에 성공할 수 없다는 게 그의 생각이었다. 노무현 정권 때 청와대에 있으면서 터득한 깨달음이었다. 그때마다 추미애의 답변은 한결같았다. "국장님, 그보다 국민의 마음을 먼저 얻어야죠." 조남관의 조언이 부담스러웠는지 추미애는 핵심 참모였던 그를 6개월 만에 대검 차장으로 보냈다. 검찰의 2인자로서 조남관이 윤석열을 견제해주길 바란 조치였지만, 결과는 그 반대였다. 조남관은 검찰총장 징계청구 엿새 만인 2020년 11월 30일 검찰 내부통신망에 장문의 글을 올린다. '검찰개혁의 대의를 위해 장관님, 한발만 물러서 주십시오'라는 제목의 글이었다.

존경하고 사랑하는 장관님께!

지난주 총장님에 대한 징계 청구 및 직무집행 정지 처분 이후 저희 검찰은 거의 모든 평검사와 중간 간부 및 지검장, 고검장에 이르기까지 장관님의 이번 처분을 재고하여 달라는 충정 어린 릴레이 건의가 요원의 불길처럼 타오르고 있습니다. (…)

장관님의 시대적 소명인 검찰개혁이란 과제를 완성하려면 형사소송법, 검찰청법과 관련 시행령 및 규칙의 개정이나 검찰의 형사부, 공판부를 강화하는 등 조직정비와 인사만으로는 절대 이루어질 수 없습니다.

검찰개혁은 2100여 명의 검사들과 8000여 명의 수사관들 및 실무관들 전체 검찰구성원들의 마음을 얻지 않고서는 백약이 무효입니다. 검찰구성원들의 마음을 얻지 않고, 개혁의 대상으로만 삼아서는 아무리 좋은 법령과 제도도 공염불이 될 것입니다.

대통령님께서도 검찰개혁에서 검찰이 주체가 되어야 한다고 누차 말씀하신 취지도 거기에 있다고 생각하고, 지난 20여 년간 역대 정부가 추진해 온 검찰개혁이 실패한 이유도 여기에 있는 것으로 알고 있습니다.

제가 검찰국장으로서 장관님을 모시는 7개월 동안 장관님께서 얼마나 검찰개혁을 열망하고 헌신하여 오셨는지, 가곡 〈목련화〉의 가사처럼 "그대처럼 순결하게, 그대처럼 강인하게" 검찰개혁 과제를 추진하여 오셨는지 누구보다도 잘 알고 있습니다. (…)

이번 조치가 그대로 진행하게 되면 검찰구성원들의 마음을 얻기는커녕 오히려 적대시 하는 결과를 초래하게 되고, 그동안 문재인 정부가 최우선 국정과제로 추진해 온 검찰개혁이 추동력을 상실한 채 명분도 실리도 모두 잃어버리고, 수포로 돌아가 버리는 절체절명의 위기 상황이 올 수도 있어 간곡히 요청 드립니다.

검찰개혁의 대의를 위해 장관님, 한 발만 물러나 주십시오!

검사들이 건의문에서 지적한 바와 같이 장관님의 이번 조치에 대한 절차 위반이나 사실관계의 확정성 여부, 징계 혐의 사실의 중대성 유무 등에 대하여는 서로 의견이 다를 수 있습니다.

다만 강조하여 말씀드리고 싶은 것은 총장님이라고 재임기간 중 어찌 흠이 없을 수 있겠습니까마는 저를 포함한 대다수의 검사들은 총장님께서 임기를 채우지 못하고 불명예스럽게 쫓겨날 만큼 중대한 비위나 범죄를 저지르지는 않았다고 확신하고 있습니다. (…)

장관님이 그토록 열망하는 검찰개혁의 꿈을 이루기 위해 장관님의 이번 처분을 철회하는 결단을 내려주실 것을 간곡히 앙망합니다."

조남관의 변심

조남관의 글은 추미애를 비롯한 여권에 적잖은 충격을 줬다. 검찰총장의 직무정지로 검찰 서열 1위가 된 총장 권한대행의 반기는 여론에 영향을 미칠 수밖에 없었다. 더구나 조남관은 친문 진영의 신임을 받아왔고 유력한 차기 검찰총장 후보였다. '추미애 체제'의 핵심으로 검찰개혁의 실무를 주도한 인사였다. 조남관은 법무부 검찰국장으로 일하는 동안 추 장관과 각별했다고 전해진다. 당시 두 사람의 관계를 잘 보여주는 일화가 있다. 조남관이 대검 차장으로 자리를 옮길 때 추 장관은 법무부 참모들을 모아 환송회를 열어줬다. 조남관은 이 자리에서 추 장관에 대한 고마움의 표시로 가곡 〈목련화〉를 불렀다.

"오 내 사랑 목련화야, 그대 내 사랑 목련화야" 취기가 잔뜩 오른 그의 목소리가 절정에 오르자 참모들은 환호성을 질렀다. 장관도 흐뭇한 표정으로 그를 바라봤다. 조남관이 호소문에 〈목련화〉의 노랫말을 인용한 것은 장관에게 이때의 기억을 상기하려는 의도였다고 한다. "제가 검찰국장으로서 장관님을 모시는 7개월 동안 장관님께서 얼마나 검찰개혁을 열망하고 헌신하여 오셨는지, 가곡 〈목련화〉

의 노래 가사처럼 '그대처럼 순결하게, 그대처럼 강인하게' 검찰개혁 과제를 추진하여 오셨는지 누구보다도 잘 알고 있습니다." 장관이 순결하게 검찰개혁을 추진해왔듯 총장 징계에 반대하는 자신의 충정 어린 고언도 알아달라는 절박한 호소였던 셈이다.

하지만 조남관의 충정은 추미애의 마음에 닿지 못했다. '추다르크'라는 별칭답게 시종일관 강공이 이어졌다. 추미애는 고기영 법무부 차관에게 징계위원회 소집을 지시했다. 법무부 차관은 검사징계법상 징계위원회에 당연직 위원으로 참여한다. 징계 청구권자인 법무부 장관이 징계위원회에서 빠지면서 고기영이 위원장을 맡게 된 상황이었다. 조남관이 검찰 내부통신망에 호소문을 올린 그날 밤, 고기영은 그에게 전화를 걸었다. 둘은 서울대 법대 동기로 가까운 사이였다. 고기영은 추 장관에게 총장 징계 철회를 조언했다가 거절당하자 사의를 밝힌 상태였다. 이 사실을 모르고 있던 조남관은 그에게 "다른 생각 말고 징계위원장의 역할에 충실하라"라고 했다. 하지만 그는 사퇴할 뜻을 접지 않았다. 앞서 전국 고검장 6명이 총장 징계에 반대하는 입장을 밝힌 데 이어 대검 차장과 법무부 차관이 가세하며 고검장급 검사 전원이 추 장관에게 반기를 드는 상황이 된 것이다.

하나의 징계,
두 개의 판결

윤석열에 대한 징계 강행이 '검찰개혁의 동력을 상실하는 위기 상황을 초래할 수 있다'는 조남관의 경고는 적중했다. 2020년 12월 1일 서울행정법원 행정4부(재판장 조미연)는 윤석열이 '추 장관의 직무집행정지 명령의 효력을 정지시켜 달라'고 낸 가처분 신청을 인용했다. 징계 절차를 제대로 밟지 않고 검찰총장을 직무에서 배제한 것은 부당하다는 판단이었다. 재판부는 "검찰 징계위 개최가 예정돼 있고 징계 절차에서 출석권, 진술권, 특별변호인 선임권 등 방어권이 보장돼 있다"라며 "적어도 직무배제는 징계 절차에서 징계 사유에 관해 윤 총장에게 방어권이 부여되는 등의 절차를 거쳐 충분히 심리된 뒤 이뤄지는 것이 합당해 보인다"라고 지적했다.

법원의 결정에 따라 7일 만에 총장 업무에 복귀한 윤석열은 의기양양했다. 법원이 지적한 것은 '절차상의 문제'였지만, 그는 마치 헌법재판소의 위헌 결정이라도 받아낸 듯 "대한민국 공직자로서 헌법 정신과 법치주의를 지키기 위해 최선을 다할 것을 약속드린다"라는 거창한 소감을 밝혔다. 주목할 것은 정치인을 연상케 하는 과장된 그의 화법에 여론이 긍정적으로 반응하기 시작했다는 사실이다. 이 무렵(2020년 12월 첫째 주) 한국갤럽이 실시한 여론조사에서 문재인 대통령 직무 평가는 부정 응답이 51%로 긍정 응답 39%를 훌쩍 앞질렀다. 긍정률은 문 대통령 취임 이후 최저치였으며, 부정 평가의 이유로 '법무부·검찰 갈등'(9%)이 '부동산 정책'(22%)에 이어 두 번째였다. 여론은 법무부 장관과 검찰총장의 갈등에 대통령도 책임이 있다고 본 것이다.

그러나 추미애는 물러서지 않았다. 그는 고기영 차관의 사퇴로 징계위원회의 정족수 문제가 발생하자 당시 야인이던 이용구 전 법무실장을 차관으로 불러오는 강수를 둔 끝에 2020년 12월 10일과 15일 두 차례 징계위원회를 여는 데 성공했다. 하지만 분위기는 추미애 쪽에 불리하게 돌아갔다. 여론에 부담을 느낀 징계위가 소극적인 태도를 보인 것이다. 추미애와 법무부 참모들은 판사 사찰 문건에 대한 감찰과 채널A 사건 수사 내용을 토대로 윤석열에게 해임을 포함한 중징계가 내려질 수 있도록 철저히 준비했다. 그러나 민간위원들이 주도한 징계위 결과는 정직 2개월이었다.* 윤석열의 임기가 7개월가량 남은 상황에서 이는 타격감 없는 징계였다.

청와대는 추미애의 강공을 부정적으로 보았다. 특히 문재인이 그

---

* 추미애는 2021년 10월 16일 온라인에서 열린 '검언개혁 촛불행동' 3차 집회에 나와 당시 법무부 징계위원장 직무대리를 맡았던 정한중 교수가 윤석열 징계를 앞장서 반대하는 구명 활동을 벌였다고 밝혔다. 추미애는 "정 교수가 징계심사를 하기도 전에 당시 더불어민주당 원내대표(김태년 의원)에게 전화를 걸어 '이게 징계감이냐? 징계청구할 사안이냐? 정무적 고려를 해야 하지 않느냐?'고 이상한 소리를 했다"라고 폭로했다. 이어 "그분은 또 청와대 민정비서관에게도 전화를 걸어 '당에서 정무적 고려를 할 필요가 있다고 하더라'고 자신의 말을 원내대표가 한 것처럼 지어내기도 했다"라고 말했다. 《굿모닝충청》, 2021. 10. 16.

랬다. 문재인은 윤석열에게 불만이 적지 않았지만, 해임이나 파면 등의 징계에는 부정적이었다. 윤석열을 해임할 경우 정치적으로 감당하기 버거운 악재가 된다고 판단한 것이다. 이는 추미애가 자초한 측면도 있었다. 성급한 검찰총장 직무배제 조처가 법원에서 제동이 걸리는 바람에 여론을 악화시켰기 때문이다. 청와대 안에서는 추-윤 갈등을 멈춰야 한다는 기류가 강했다. 노영민 비서실장은 추미애 장관의 교체를 공공연하게 주장했다. 실제로 12월 16일 윤석열 징계안에 대한 대통령의 재가를 받기 위해 청와대에 들어간 추미애는 노영민에게 사퇴를 권고받고 사의를 표명해야 했다. 정권 핵심부가 적전분열에 빠진 셈이다.

윤석열은 이번에도 징계 효력을 정지시켜달라는 가처분 신청을 냈고, 법원은 또 윤석열의 손을 들어줬다. 그런데 이번 결정은 앞서 직무배제 관련 결정과 달리 거센 논란을 초래했다. 나중에 이 사건의 본안소송을 맡은 재판부가 '징계가 정당하다'는 판결을 내렸기 때문이다. 먼저 2020년 12월 24일, 서울행정법원 행정12부(재판장 홍순욱)는 "재판부 분석 문건의 작성 및 배포는 매우 부적절하나 추가 소명자료가 필요하며, 채널A 사건에 대한 감찰 방해 및 수사 방해는 다툼의 여지가 있어 본안재판(소송)에서 충분한 심리가 이루어져야 한다. 징계위원회의 기피 신청에 대한 의결 과정에 하자가 있는 점을 보태어 보면 (윤석열의) 본안청구 승소 가능성이 없다고 단정하기 어렵다"라며 윤석열이 낸 가처분 신청을 받아들였다.

그러나 10개월 뒤인 2021년 10월 14일, 재판장이 바뀐 서울행정법원 행정12부(재판장 정용석)는 본안소송에서 추미애의 손을 들어줬다. ①재판부 사찰 문건 작성·배포 ②채널A 사건 감찰 방해 ③채널A 사건 수사 방해 행위를 징계 사유로 인정한 것이다. 특히 재판부는 "인정된 징계사유는 검찰 사무의 적법성과 공정성을 해하는 중대한 비위행위다. 검찰공무원의 범죄 및 비위 처리지침, 공무원 징계령 시행규칙에서 정한 양정기준에 따르면, 면직 이상의 징계가 가능하다"라며 '정직 2개월' 징계가 오히려 가볍다고 판단했다. 여기에 가처분 사건을 심리한 재판부가 문제 삼았던 '절차적 하자'도 판례상 아무런 문제가 없다고 판결했다.

앞서 가처분 신청 사건 재판부는 기피 신청을 당한 징계위원을 정족수에 포함시킨 것이 잘못이라고 판단했는데, 이렇게 되면 비위를 저지른 징계 대상자가 징계위원 기피 신청을 남발할 경우 징계위를 열지 못하는 딜레마에 빠지게 된다. 또 임기가 7개월밖에 남지 않은 검찰총장의 징계를, 그보다 오랜 시간이 걸릴 게 뻔한 본안소송에서 충분히 따져보고 결정하라는 것은 대통령과 법무부 장관의 징계권을 무력화하는 결과를 낳는다. 판사 사찰 문건과 채널A 사건 감찰 및 수사 방해를 입증하는 자료는 이미 징계위에 충분히 제출된 상태였다. 이러한 논리적 모순에도 불구하고 가처분 신청 사건에서 법원이 윤석열의 주장을 받아들인 것은 검찰총장 징계에 부정적인 여론을 의식한 결과로 해석되었다.

날개 단 윤석열,
날개 꺾인 문재인

어떻든 두 차례 가처분 신청에 대한 법원의 결정은 윤석열에게 날개를 달아줬다. 때마침 2020년 12월 23일 조국 부인 정경심의 1심 선고 공판에서 징역 4년의 중형이 선고되자 윤석열의 입지는 더욱 탄탄해졌다. 두 차례의 극적인 생환으로 윤석열은 야권의 유력 대선 후보로 확실히 자리매김하며 이재명과 '2강 구도'를 형성했다. 2021년 1월 15일 공개된 한국갤럽 여론조사 결과 윤석열은 '차기 정치 지도자 선호도 조사'에서 처음으로 이낙연(10%)을 제치고 이재명(23%)에 이어 2위(13%)에 올랐다. 야권 후보들과의 격차는 더 크게 벌어졌다. 안철수와 홍준표는 각각 3%, 유승민은 1%에 그치며 '윤석열 대세론'이 야권을 장악했다. 현직 검찰총장이 야권의 유력 대선후보로 꼽힌 것은 전례 없는 일이었다.

반면 문재인은 엄청난 데미지를 입었다. 지지도는 추-윤 갈등이 시작될 무렵부터 긍정평가가 부정평가보다 떨어지는 '데드크로스'가 일어났고, 검찰총장 징계와 법원의 가처분 신청을 거치면서는 부정평가가 50%를 훌쩍 넘었다. 추-윤 갈등은 정권교체 여론도 키웠다. 한국갤럽의 같은 조사에서 정권교체 의견(47%)이 정권유지(39%)를 훌쩍 앞섰다. 정권교체 여론은 추-윤 갈등이 점화된 2020년 11월에 41%, 12월에는 44%로 매달 오름세였다. 정권유지 여론은 11월 47%에서 12월 41%로 하락 일변도였다. 이 추세는 2022년 3월 제20대 대통령선거까지 그대로 유지되었다. 《한국일보》가 한국리서치에 의뢰한 신년(2021년) 여론조사에서는 '윤 총장 징계가 잘못되었다'는 의견이 51.7%, '잘했다'는 의견은 40.8%로 나왔다. '추미애의 전쟁'은 여론전에서도 완패한 것이다.

'내로남불'에 학을 뗀 민심

추-윤 갈등은 검찰개혁이 완전히 좌초하는 결과를 낳았다. 그뿐만 아니라 추미애가 응징하려던 윤석열을 야당의 유력 대선 후보로 띄웠고, 결국 집권 5년 만에 정권을 잃는 사태로 이어졌다. 여권 안에서 '추미애 책임론'이 불거졌다. 윤석열이 총장 임기를 지키도록 가만히 내버려 뒀다면 그가 야당 후보로 대선에 출마할 일은 없었을 테고, 출마하더라도 야권 성향 유권자의 지지를 받지 못했으리라는 판단에 근거한 것이다. 다시 말해 2020년 4·15 총선의 여당 압승으로 '식물 총장'이 된 윤석열이, 자신의 정치적 기반을 위한 추미애의 무리수 덕분에 대권 후보로 부활했다는 것이다.

그러나 추미애는 윤석열 징계가 "법무부 장관으로서 당연한 책무"였다고 반박한다. 그는 장관 퇴임 직전 《경향신문》과 한 인터뷰에서 "(검찰총장 징계는) 국회에서도 요구했고 감찰에 따른 진상조사 확인 절차를 거쳐 한 것이기에 그것을 회피할 수 없다. (그렇게 하면)

나의 직무유기가 된다"라고 말했다.[13] 검찰권을 남용한 검찰총장에 대해 법에 보장된 장관의 권한에 따라 정당한 절차를 밟아서 추진한 징계가 뭐가 문제냐는 것이다.

실제로 추-윤 갈등의 본질은 '검찰에 대한 선출된 권력의 민주적 통제'를 둘러싼 갈등이었다. 선거를 통해 권력을 잡은 정권이 어떻게 검찰의 정치적 독립을 침해하지 않고 검찰권을 통제할 수 있느냐에 관한 문제였다. 윤석열 사단은 정치적 독립을 내세워 어떤 종류의 통제도 거부했다. 엄연히 민주주의를 위협하는 행태지만, 문제는 문재인 정권의 지독한 '내로남불'에 학을 뗀 민심은 윤 사단의 '폭주'를 정당한 검찰권 행사로 인식했다는 사실이다.

민심은 추-윤 갈등을 문 정권의 일탈로 보았다. 민생은 뒷전인 채 정권의 '내로남불'을 수사한 검찰총장을 찍어내려는 꼼수로 여긴 것이다. '추-윤 전쟁'이 윤석열의 승리로 끝난 직후 실시한 한국갤럽의 여론조사(2021년 1월 15일)에서 잘 나타난다. 응답자들은 문재인의 대통령 직무수행에 대해 53%가 부정적으로 평가(긍정 38%)했는데, 그 이유로 부동산 정책(29%)과 함께 경제/민생 문제 해결 부족(10%)을 각각 1순위와 3순위로 꼽았다. 특히 부동산 문제는 2020년 10월 이후 줄곧 부정평가 원인 1순위로 꼽혔는데, 추-윤 갈등이 본격적으로 불붙기 시작한 것도 이 무렵이었다.

청와대의 내로남불

문재인 정권의 '내로남불'은 '조국 사태'뿐만 아니었다. 가장 심각한 무능을 보여준 부동산 문제에서도 같은 행태를 반복하며 민심의 분노를 샀다. 정권 초인 2017년 다주택자를 겨냥한 '8·2 대책'을 내놓을 당시 장하성 정책실장, 조국 민정수석, 윤영찬 국민소통수석, 조현옥 인사수석 등 청와대 참모진 상당수가 2주택 이상을 갖고 있었다. 장관들도 마찬가지로, 이듬해 3월 공직자 재산공개 결과 다주택자가 무려 10명에 달했다. 민심이 들끓었고 야당과 언론은 날 선 비판을 가했지만, 청와대는 이 문제를 깔끔하게 해결하지 못했다.

청와대 넘버2인 대통령 비서실장의 어처구니없는 행보도 들끓는 민심에 기름을 부었다. 2019년 12월 노영민 비서실장은 청와대 참모들에게 "수도권에 두 채 이상 집을 보유한 공직자들은 이른 시일 안에 한 채만 남기고 처분하라"라고 권고했다. 당시 노영민도 서울시 서초구 반포동과 지역구인 충북 청주시에 아파트를 하나씩 보유하고 있었다. 권고를 따르는 이가 많지 않자 노영민은 2020년 7월, "청와대 비서관급 이상 참모들은 이달 안으로 1주택만 남기고 처분하라"라고 재차 권고했다. 강민석 청와대 대변인은 이 사실을 기자들에게 전하면서 "노 실장이 반포 아파트를 처분하기로 했다"라고 밝혔다가, 45분 뒤에 "반포 아파트가 아닌 청주 아파트"라고 정정했다. 이로 인해 대통령 비서실장도 자신의 지역구보다 서울 강

남에 있는 '똘똘한 한 채'를 챙겼다는 거센 비난이 일었다.

　부동산 정책을 지휘하는 김상조 당시 청와대 정책실장도 민심 이반에 가세했다. 전·월세 인상을 제한하는 '주택임대차보호법 개정안'이 국회 본회의를 통과하기 하루 전, 김상조가 본인 소유 아파트 전세보증금을 '전·월세 상한제'의 상한선 5%를 초과해 올려받은 사실이 언론 보도로 드러난 것이다. 그는 보증금을 8억5000만 원에서 9억7000만 원으로 올렸는데, 14%를 넘는 인상률이었다. 김상조는 다음날 바로 경질되었다. 이처럼 권부 핵심의 '내로남불'은 윤석열을 '뻔뻔한 정권에 당당히 맞선 검찰총장' 이미지로 여론에 각인하는 데 기여했다.

3

문재인 정권은 검찰개혁에 진심이었을까?

윤석열 정권 출범을 일주일 앞둔 2022년 5월 3일, 더불어민주당은 검찰개혁을 명분으로 추진한 형사소송법 개정안을 국회 본회의에서 통과시켰다. 표결 결과는 찬성 164명, 반대 3명, 기권 7명이었다. 곧 여당이 될 국민의힘은 표결에 참여하지 않았고, 정의당, 국민의당 등 나머지 야당에선 경찰 출신인 권은희 의원(국민의당)만 빼고 기권하거나 반대표를 던졌다. 이보다 사흘 앞서 통과된 검찰청법 개정안은 찬성 172명, 반대 3명, 기권 2명으로 가결되었다. 검찰이 직접 수사를 개시할 수 있는 범죄를 기존 6대 범죄(공직자·선거·방위사업·대형참사·부패·경제)에서 2대 범죄(부패·경제)로 축소하는 이 법안에는 '검수완박'(검찰 수사권 완전 박탈)이라는 자극적인 수식어가 붙었다.

'검수완박'은 애초 민주당 강성 지지자들이 만든 표현이지만, 법안을 둘러싼 논란이 커지며 뭔가 켕기는 게 있으니 민주당과 문 정권이 검찰 수사를 두려워하는 것 아니냐는 인식이 덧붙었다. 더욱이 민주당이 이 법을 통과시키려고 무리수를 두면서 여론은 더욱 싸늘해졌다.

법사위 소속 민형배 의원은 2022년 4월 20일 뜬금없이 민주당을 탈당해 정치권을 술렁이게 했다. 알고 보니 같은 법사위의 무소속 양향자 의원이 검찰청법 개정안에 반대하자 개정안 통과를 위해 위장 탈당한 것이었다. 법사위 안건조정위원회에 무소속 몫으로 참여해 찬성표를 늘리기 위한 꼼수였다.

안건조정위원회는 다수당의 입법 폭주를 막기 위한 제도로 상임위 재적의원 1/3 이상이 요구할 경우 6명의 조정위원이 최장 90일간 법안을 숙의한다. 다수당과 소수당 몫의 조정위원 수를 '3 대 3' 동수로 만들어 토론을 거쳐 합의안을 도출하라는 취지다. 그렇더라도 이미 3명을 보유한 다수당은 소수당 위원 가운데 1명만 포섭하면 의결정족수(재적 조정위원 2/3 이상)를 채워 안건을 신속하게 통과시킬 수 있다.

민형배의 탈당은 바로 이 점을 노린 것이었다. 양향자 의원의 반대로 찬성과 반대가 동수(민주당 3 대 국민의힘 2·무소속 1)가 되자, 양 의원 대신 민형배를 소수당(무소속) 몫으로 투입해 찬성과 반대를 '4 대 2' 구도로 만든 것이다. 민주당은 민형배의 '활약'으로 윤석열 정권이 출범하기 전에 검찰개혁 관련 법안을 모두 통과시킬 수 있었다. 민형배는 법안을 모두 처리한 뒤 민주당에 복당을 신청했다.

"검수완박 안 하면
문 정부 사람들 감옥 간다"

설상가상으로 민주당 강경파 의원들이 민주당 출신인 양향자를 설득하면서 '검수완박을 안 하면 문재인 정부 사람들이 죽는다'는 취지로 말한 사실이 드러나[14] 여론을 더욱 악화시켰다. 양향자가 인터뷰를 통해 공개한 이 발언은 민주당이 실제로 '검찰 수사를 두려워하는 집단'임을 입증한 셈이었다.

민주당의 헛발질은 여론에 고스란히 반영되었다. 문재인 정권 내내 검찰개혁을 지지했던 여론이 정작 검찰개혁 관련 법안 통과에 부정적으로 반응한 것이다. 2022년 5월 3~4일 한국갤럽이 실시한 여론조사를 보면, 검찰청법 개정안 통과에 대해 응답자의 47%가 '잘못된 일'이라고 답했고, 36%가 '잘된 일'이라고 답했다. 특히 문재인 정권의 검찰개혁을 지지하던 중도층의 여론이 부정적으로 바뀐 것(잘못된 일 47% 대 잘된 일 34%)이 눈에 띈다. 중도층조차 개혁의 진정성을 납득하지 못한다는 뜻이었다.

민주당이 여론의 뭇매를 무릅쓴 보람도 없이 검찰개혁 법안은 '윤석열 정권의 황태자' 한동훈에 의해 간단히 뒤집힌다. 법무부는

2022년 8월 12일 시행령인 '검사의 수사개시 범죄 범위에 관한 규정(대통령령)' 개정안을 입법 예고했는데, 검찰의 직접 수사 대상으로 한정한 부패·경제 범죄의 범위를 대폭 확장한 내용이다. 사실상 이전처럼 검찰이 대부분의 중요범죄 수사를 직접 수사할 수 있도록 한 것이다. '닭 쫓던 개' 신세가 된 민주당은 한동훈을 입으로만 응징할 뿐 달리 대응할 방법이 없었다.

'보복 프레임'에 갇힌 개혁

문재인 정권의 검찰개혁 스텝이 꼬인 직접적인 계기는 조국 사태였다. 문 정권이 '검찰개혁의 아이콘'으로 내세운 조국이 검찰 수사로 낙마하면서 이후 추진된 검찰개혁은 모두 '검찰에 대한 정권의 보복'이라는 프레임에 갇혔다. 문 정권은 개혁의 순수성을 강조했지만, 여론은 그렇게 보지 않았다. 실제로 의도가 의심스러운 행태가 있었기 때문이다. 법무부가 조국 사퇴 직후 검찰보고 관련 규칙을 바꾸겠다고 나섰던 사례가 대표적이다.

당시 법무부 장관 권한대행을 맡은 김오수 차관은 2019년 11월 8일 청와대에서 검찰총장이 수사 중인 중요 사건을 '단계별'로 법무부 장관에게 '사전 보고'하도록 검찰보고사무규칙을 개정하겠다고 대통령에게 보고했다. 기존에도 이를 규정한 조항이 있지만 검찰총장이 보고 내용을 결정하기 때문에 누락 문제가 발생해온 것을 막겠다는 취지였다. 하지만 단계별로 사전 보고를 하게 되면 압수수색을 미리 보고해야 하는 문제가 발생한다. 자칫 살아 있는 권력, 즉 현 정권을 겨냥한 수사의 기밀이 수사 대상이나 관계자에 유출되어 차질이 빚어질 수 있다. 검찰은 이런 이유로 법무부 개정안에 강하게 반발했다.

김오수는 며칠 뒤 국회 법사위에 불려 나가 혼쭐이 났다. 야당 의원들은 "법무부 장관에게 압수수색을 사전에 보고하면 청와대를 비롯해 살아 있는 권력에 대한 수사가 어떻게 가능하겠냐" "조국 전 장관 수사 때문에 이러는 게 아니냐" 등 날 선 질문을 쏟아냈다. 김오수는 "오해가 있다. 지금도 검찰이 법무부에 (수사 상황을) 보고하는 규정이 있다. 지금 수준보다 더 많이, 더 빨리 보고받을 생각은 전혀 없다"라고 손사래를 치기에 바빴다. 공교롭게도 이 규칙의 개정안을 마련한 곳이 검찰개혁추진지원단(추진단)으로 드러나 일을 키웠다. 추진단은 조국이 취임 직후 만든 조직이었다. 법무부가 조국 수사에 대한 보복으로 보고규칙 개정을 추진한다고 의심받기에 딱 좋은 그림이었다. 김오수는 "(법무부는) 제발 나대지 말고, 설치지 말라"라는 장제원 의원의 모욕적인 질책에 "유념하겠다"라고 공손하게 답할 수밖에 없었다.

전두환 정권이 만든
수사 보고 규칙이 개혁?

검찰보고사무규칙은 전두환 정권 때인 1982년에 만들어졌다. 실제 과거 정권에서는 법무부 장관과 청와대가 이를 악용한 사례가 많다. 정권 실세가 연루된 수사에서 검찰총장이 법무부 장관에게 수사 상황을 보고하면 그 내용이 수사 대상자에게 고스란히 흘러갔다. 장관이 수사에 개입해 누구는 구속하지 말라는 등 대놓고 가이드라인을 제시한 경우도 많았다. 윤석열이 수사팀장을 맡은 '국정원 댓글 사건'이 대표적이다. 당시 황교안 법무부 장관은 원세훈 전 국정원장에 대한 선거법 위반 혐의 적용을 막았다.

'박근혜-최순실 국정농단 사건'에서는 검찰이 법무부 장관에게 아예 수사 상황을 보고하지 않았다. 당시 여당에서는 검찰 수사가 대통령을 겨냥하자 이창재 법무부 차관(장관 권한대행)을 국회로 불러 수사 상황을 물었다. 하지만 아무런 보고를 받지 못한 이창재는 "잘 모르겠다"라는 답변만 반복했고, 여당 의원들은 "법무부가 대체 뭐하고 있는 거냐"라며 닦달했다. 등쌀에 못 이긴 법무부의 한 간부가 국정농단 수사팀에 전화를 걸어 진행 상황을 일부만이라도 알려달라고 읍소하기도 했다. 하지만 수사팀은 요지부동이었다. 법무부에 보고하는 순간 청와대까지 올라간다는 사실을 잘 알고 있었기 때문이다.

이러한 역사적 배경을 감안하면, 검찰의 정치적 중립과 독립적인 수사를 강조해온 문재인 정권이 수사 상황 사전 보고를 추진하는 것은 이치에 맞지 않았다. 정권 초기인 2017년 5월 11일 당시 조국 민정수석은 기자회견에서 "민정수석은 수사지휘를 해선 안 된다"라고 말했다. 이는 수사지휘뿐 아니라 보고도 안 받겠다는 뜻으로 받아들여졌다. 이에 따라 검찰도 그해 11월 전병헌 정무수석에 대한 수사부터 법무부 장관에 대한 사전 보고를 없앴고, 이후 조국 수사를 비롯해 청와대를 겨냥한 수사에서도 이 기조를 유지했다. 검찰은 "이명박 전 대통령 비리나 사법농단 수사 때는 법무부가 수사 상황 보고 문제로 이의를 제기한 적이 없었다. 그런데 조국 장관 수사 이후부터 이를 문제 삼고 있다"라고 반발했다. 문 정권은 여기에 별다른 반박을 하지 못했다. 틀린 말이 아니었기 때문이다.

그때는 틀리고 지금은 맞다?

추미애는 법무부 장관에 취임한 지 한 달만인 2020년 2월 11일 기자간담회에서 "검사가 특정 사건의 수사와 기소를 동시에 수행할 때 중립성·객관성을 잃을 우려가 있다. 이를 막기 위해 수사와 기소를 분리하는 방안을 추진하겠다"라고 밝혔다. 검찰이 직접 수사를 할 때 수사를 담당한 검사가 기소와 재판(공소유지)까지 맡지 않도록 하겠다는 취지였다. '수사와 기소 분리'는 검찰개혁의 중요한 원칙이다. 수사 검사가 기소 및 재판까지 맡게 되면 확증편향에 빠져 유죄의 증거에 집착하고 그 반대의 증거를 무시하기 쉽다. 이로 인해 헌법상의 '무죄추정'은 허울만 남게 되고 수사 현실에서는 '유죄추정'이 작동한다. 형사법학자 다수는 수사-기소-재판의 기능이 각각 분리되는 것이 중요하다고 강조해왔다. 하지만 검찰은 그동안 수사 효율성을 이유로 검찰이 직접 수사한 사건은 수사 검사가 기소·재판까지 맡아왔다.

추미애는 기자간담회 뒤 윤석열에게 전화를 걸어 '수사-기소 분리'의 취지를 설명했다. 그러나 윤석열은 실무적으로 받아들이기 어려운 방안이라는 견해를 밝혔다. 그는 "권력형 부패 범죄에 대응하는 데 심각한 장애를 가져올 것"이라는 의견도 덧붙였다. 장관의 제안에 사실상 반대한 것이다. 윤석열은 이를 정권 수사를 무력화하려는 의도로 봤다. 수사와 재판을 각각 다른 검사가 맡게 되면 그만큼 공소유지가 힘들어지기 때문이다.

그러자 법무부는 며칠 뒤 추가 보도자료를 냈다. 법무부는 "전임 검찰총장도 '수사에 착수하는 사람은 결론을 못 내리게 하는 것이 민주주의 원리'라고 말했다. 상당수 검사들도 그 필요성을 공감하고 있다"라고 주장했다. 여기서 언급된 전임 총장은 문무일이다. 실제로 그는 2019년 5월 국회 패스트트랙(신속처리안건)에 오른 검경 수사권 조정안이 논란이 되었을 때 "수사 착수한 사람들이 기소권까지 가진 건 용납하기 어렵다. 현대 민주국가의 형사사법시스템에서 추구하는 민주적 원리에 반한다"라고 말했다. 문무일은 당시 경찰에 1차 수사권과 함께 수사 종결권까지 주는 수사권 조정에 반대하는 근거로 한 말이지만, 어떻든 검찰총장이 수사-기소 분리의 필요성을 강조한 발언이기에 주목받았다.

하지만 당시 청와대는 문무일의 '소신'을 진지하게 받아들이지 않았다. 문무일은 앞서 2018년 7월 검찰 수사를 견제하는 내부 장치로 '인권수사자문관' 제도를 도입했다. 법리적 쟁점이 있는 사건 등에 인권수사자문관을 투입해 수사기록 전체를 검토하며 적극적으로 수사 내용에 반대의견을 내는 '레드팀' 역할을 수행하는 제도다. 이는 검찰의 직접 수사를 겨냥한 것이기 때문에 특수부 검사들의 불만이 많았지만, 문무일은 '검란檢亂이 일어나도 상관없다'며 밀어붙였다. 그러나 문무일의 방안은 청와대의 환영을 받지 못했다. 윤석열(서울중앙지검장)이 지휘하는 적폐 수사가 위축될 것을 우려했기 때문이다. 이런 문 정권의 태도를 감안하면 추미애의 '수사-기소 분리' 제안은 분명 이중적 행보였다. 적폐 수사 때는 검찰의 '수사-기소-재판' 결합 시스템의 문제점을 못 본 척했다가 조국 수사 이후 검찰의 칼이 자신들을 향하자 입장을 뒤집은 것이다.

유명무실한 공수처

조희연 서울시교육감은 2021년 7월 27일, 정부 과천청사에 자리한 고위공직자범죄수사처(공수처)에 출석했다. 그해 1월 21일 공수처가 출범한 이후 첫 공식 소환자였다. 그가 서울시교육청의 중등교사 특별채용에 부당하게 개입했다는 의혹이 공수처 '1호 사건'으로 배당되며 생긴 불명예였다. 공수처는 조희연이 특별채용에 반대한 부교육감 등의 업무배제를 지시하는 등 직권을 남용해 교사 5명을 특별채용했다는 감사원의 고발 사건을 경찰로부터 넘겨받은 뒤 서울시교육청에 수사 개시를 통보했다. 조희연은 "특별채용제도는 불가피하게 교단을 떠나게 된 교원의 교권을 회복시켜주기 위해 법률로 보장된 정당한 절차로 대부분의 정부 부처에서도 일상적으로 추진하는 행정행위"라고 반박했지만, 공수처는 "조 교육감의 직권남용 권리행사 방해와 국가공무원법 위반 혐의가 인정된다"라며 서울중앙지검에 기소를 요구했다. 공수처는 판·검사나 경무관 이상 경찰관만 직접 기소할 수 있고, 그 외 공직자는 수사만 한 뒤 검찰에 기소를 요구할 수 있다.

공수처를 검찰개혁의 지상과제로 밀어붙인 문재인 정권으로선 통탄할 일이었다. 조희연에 대한 고발 건은 검찰개혁과 무관할 뿐아니라, 고위공직자의 중대한 비리로 볼 수도 없는 사건이었다. 특별채용이 법적 근거가 전혀 없는 것도 아니었고, 채용 과정에서 뇌물을 주고받은 것도 없었다. 공수처의 존재 이유를 상징하는 1호 사건으로는 전혀 걸맞지 않았다. 애초 공수처 도입의 목적은 검찰의 비대한 권한을 견제하는 것이었다. 수사와 기소를 독점한 검찰이 자신들의 조직 논리에 따라 국가의 사법 시스템을 왜곡하는 것을 막기 위함이다. 정치적 편향과 인권침해, 제 식구 감싸기, 재벌 봐주기 등 검찰이 기소독점권을 악용하는 것을 막아야 한다. 하지만 공수처의 '1호 사건'은 이 기관이 설립 목적대로 운영되지 않을 것이라는 불길한 예감을 갖게 했다.

사찰 논란에다
무능력 시전까지

예감은 얼마 안 가 적중했다. 공수처는 2021년 12월 난데없는 민간인 사찰 논란에 휘말렸다. 오세훈 서울시장을 비롯한 국민의힘 소속 정치인과 언론인 등 120여 명을 대상으로 통신조회를 시도한 사실이 드러난 것이다. 통신조회는 수사기관이나 정보기관이 당사자 동의 없이 통신사에 자료 제출을 요구해 가입자의 신상정보를 제공받는 것이다. 김진욱 공수처장은 전기통신사업법(83조 3항)에 근거해 검찰, 경찰 등이 이미 해오던 관행인 점을 들어 "왜 공수처만 문제를 삼나"(2021년 12월 30일 국회 법사위)라고 항변했다. 공수처 설립을 주도한 민주당도 "윤석열 검찰 때 더 많은 통신 조회가 있었다"라며 엄호에 나섰다.

그러나 영장 없는 통신조회는 위헌이라는 지적이 꾸준히 제기되었고, 검찰개혁 차원에서 개선돼야 할 수사 관행으로 꼽혔다. 더욱이 공수처는 인권 친화적 수사기관을 자임한 곳이다. 반인권적 수사 관행을 근절시키기 위해 필요할 경우 수사기관을 수사해야 하는 기관이다. 그런 공수처가 별다른 문제의식 없이 통신조회를 남발한 것은 공수처의 존재 이유를 망각한 행위였다. 빗발치는 비난에 공수처는 결국 "과거의 수사 관행을 깊은 성찰 없이 답습해 여론의 질타를 받게 된 점을 매우 유감스럽게 생각한다"라는 입장문을 내야 했다.

공수처의 체면을 구기는 일은 또 있었다. 출범 후 '1호 기소 사건'이 1심 재판에서 무죄가 선고된 것이다. 김 아무개 전 부장검사는 2015년 서울남부지검 증권범죄합동수사단(합수단) 단장으로 재직하며 옛 동료인 박 아무개 변호사에게 수사 편의를 제공한 대가로 1000만 원 상당의 금품과 향응 접대를 받은 혐의로 공수처에 의해 기소되었다. 애초 검찰은 이 사건을 무혐의 처분했으나 김 전 부장검사의 고교 동창 '스폰서'가 경찰에 박 변호사의 뇌물 의혹을 고발하며 수사가 재개되었다. 이후 경찰은 기소 의견으로 사건을 검찰에 넘겼고, 이를 공수처가 넘겨받아 수사했다. 공수처는 김 전 부장검사의 혐의가 인정된다고 판단하고 2022년 3월 그를 기소했다. 1954년 형사소송법 제정 뒤 견고하게 이어져온 검찰의 기소독점권을 68년 만에 깬 '역사적 사건'이었다. 그러나 정작 1심에서 무죄가 선고되면서 공수처는 무능하다는 오명까지 뒤집어쓰고 만다.

검사를 봐주는 공수처

공수처는 2022년 11월 29일, 간첩 조작 사건 피해자 유우성 씨를 '보복 기소'한 검사들을 모두 불기소 처분했다. 이는 공수처의 존재 이유를 의심케 한 사건이다. 대법원이 공소권 남용이라고 판결해 검찰의 잘못이 명백하게 인정되었음에도 해당 검사들에게 아무런 법적 책임을 묻지 않은 것이다. '유우성 사건'은 검찰이 독점한 기소권을 어떻게 악용할 수 있는지 적나라하게 보여준 사례다.

검찰은 2014년 유 씨를 간첩 혐의로 기소했는데, 법원에 제출된 증거가 국가정보원에 의해 조작된 사실이 들통나는 등 무리한 기소였음이 드러나 1·2·3심에서 모두 무죄가 선고되었다. 검찰은 증거 조작과 관련해 국정원의 수사를 지휘하고 기소와 공판을 담당한 검사들을 내부 징계했다. 그런데 2심 선고 직후 검찰은 유우성 씨를 다시 재판에 넘긴다. 앞서 2010년에 "가담 정도가 경미하다"라며 기소유예 처리한 외국환거래법 위반 혐의를 다시 꺼내 '별건 기소'한 것이다.

이 사건은 1심에서 유죄(벌금 1000만 원)가 선고되었지만, 2심에선 "검사가 이 사건을 기소한 것은 어떠한 의도가 있다고 보여진다. 공소권을 자의적으로 행사한 것으로 위법하다"라며 무죄를 선고했고, 대법원도 2021년 10월 무죄를 확정했다. 이에 유 씨는 당시 담당 검사들을 고소했지만 공수처는 1년간 수사를 질질 끌다가 불기소 처분을 내린 것이다. 공수처는 직권남용죄의 공소시효(7년)가 끝났기 때문에 유 씨를 '보복 기소'한 것이 직권남용에 해당하는지 따져보지도 않았다고 밝혔다. 초기에 공소시효 완성 여부를 먼저 따져보는 것이 수사의 기본임을 고려하면 1년 가까이 수사를 뭉갰다는 자백과 다름없었다.

공수처가 제 구실을
못하는 까닭

이러한 문제들은 공수처 출범 이전부터 예견되었다. 검찰을 견제하려면 검찰 특수부 못지않은 인력과 수사 경험이 뒷받침되어야 하지만 공수처는 그런 준비 없이 서둘러 출범했기 때문이다. 2019년 12월 30일 민주당은 선거법을 지렛대 삼아 정의당 등을 끌어들여 국회에서 공수처법을 통과시켰다. 문제는 이 과정이 부작용을 최소화하려는 충분한 논의 없이 입법 시한을 정해놓고 밀어붙이기로 진행되었다는 점이다. 공수처는 양질의 수사 인력이 절대적으로 부족한 상태에서 출범했다.

현행 공수처법은 공수처 검사를 처·차장을 포함해 25명 이내로 구성하게 돼 있다. 이에 공수처는 2022년 11월 〈공수처 조직역량 강화 방안 마련 정책연구〉 보고서를 발간해 공수처 정원을 2배 가까이(검사 40명) 늘려야 한다고 밝혔다.[15] 실제로 공수처는 출범 직후

부터 인력난을 호소해왔다. 김진욱 처장은 출범 6개월 만인 2021년 6월 기자간담회에서 "검사 50명, 수사관 70명 정도를 희망한다"라고 밝힌 바 있다.

인력난은 문재인 정권이 공수처를 검찰개혁의 성과로 포장하는데 급급한 결과였다. 검찰의 비대한 권력을 효과적으로 견제할 방안이 두루 무르익지 못한 상태에서 공수처 출범 자체를 개혁의 완성, 완수로 인식한 탓이다. 문재인은 2017년 8월 법무부 업무보고를 받는 자리에서 "공수처 신설과 검경 수사권 조정은 빠른 시일 안에 이뤄내야 한다"라고 주문했다. 당시 법무부 장관 박상기는 "공수처 법안의 신속한 통과와 시행을 추진하겠다"라고 대통령에게 보고했다. 다음날 박범계 더불어민주당 적폐청산위원장도 "검찰개혁의 일환으로 공수처 설치를 위해 금년 내 입법적 조치를 실현하겠다"라고 시점까지 못 박았다.[16]

공수처에 대한 문 정권의 집착은 노무현 정권의 검찰개혁 실패 경험에서 비롯되었다. 개혁 과정에서 검찰의 정치적 중립이 지나치게 강조되는 바람에 정작 검찰권의 견제와 분산을 제대로 추진하지 못했고, 그것이 개혁 실패로 귀결되었다는 반성이다. 노무현 전 대통령은 퇴임 후 다음과 같이 복기했다.

검찰 자체가 정치적으로 편향돼 있으면 정치적 중립을 보장해주어도 정치적 중립은 지켜지지 않는다. (…) 검경 수사권 조정과 공수처 설치를 밀어붙이지 못한 것이 정말 후회스러웠다. 이러한 제도적 개혁을 하지 않고 정치적 중립을 보장하려 한 것은 미련한 짓이었다.[17]

만신창이 검찰을 되살린 문 정권

그러나 검찰의 권한을 분산하려면 공수처 도입에 앞서 해둬야 할 '밑작업'이 있었다. 바로 검찰의 힘을 빼는 것이다. 오랜 수사 경험과 자원을 토대로 탄탄하게 구축된 검찰의 권력을 줄이는 일이 선행되지 않으면 공수처가 검찰을 제대로 견제할 수 없다. 공수처는 검찰만큼 힘을 가질 수 없고, 가지는 게 바람직하지도 않기 때문이다. 문재인 정권에겐 검찰의 힘을 뺄 절호의 기회가 있었다. 박근혜 정권 말기에 검찰은 자신의 의무를 내던짐으로써 '국정농단의 방조자'라는 비난을 받았다. 촛불 집회에서 '검찰개혁' 구호가 등장한 이유다.

문 정권은 그런 만신창이 검찰을 불소불위의 검찰로 되살려냈다. 국정과제로 삼은 적폐청산에 검찰을 동원한 결과였다. 적폐 수사에서 성과를 낸 검찰은 이전보다 더 막강한 권력기관으로 거듭났다. 이런 검찰을 불과 20여 명의 수사 인력을 가진 공수처로 견제하겠다는 것은 터무니없는 발상이었다. 청와대 민정수석으로 공수처 설립을 주도한 조국은 공수처법이 국회를 통과될 때 "눈물이 핑 돈다"라고 감격스러워했다. 그러나 현재의 공수처는 그가 그렸을 청사진과는 거리가 멀다.

문 정권의 검찰개혁 실패는 정권 초기 골든타임을 '적폐 수사'로 날려 보낸 것이 치명적이었다. 문 정권이 적폐청산에 검찰을 동원한 이유를 짐작하기는 어렵지 않다. 그들은 '정의로운 검찰'이 가능하다고 믿은 것이다. 특히 윤석열에게서 정의로운 검사의 이미지를 보았을 법하다. 문재인은 2019년 7월 25일 윤석열에게 검찰총장 임명장을 주면서 이렇게 말했다.

우리 윤 총장님은 권력형 비리에 대해서 정말 권력에 휘둘리지 않고, 또 권력의 눈치도 보지 않고 사람에 충성하지 않는 그런 자세로 아주 엄정하게 이렇게 처리해서 국민들 희망을 받으셨는데, 그런 자세를 앞으로도 계속해서 끝까지 지켜주십사 하는 것입니다.

하지만 문재인은 채 석 달이 안 되어 다음과 같은 대국민 메시지를 내야 했다. 조국이 법무부 장관 자리에서 물러난 2019년 10월 14일이었다.

저는 조국 법무부 장관과 윤석열 검찰총장의 환상적인 조합에 의한 검찰개혁을 희망했습니다. 꿈같은 희망이 되고 말았습니다.

문재인의 회한대로 검찰에 정의와 개혁을 기대하는 것은 '꿈같은 희망'에 불과하다. 검찰은 정의가 아닌 성과의 관점에서 수사를 진행한다. 검사에게 성과는 기소해서 유죄판결을 받아내는 것이다. 그래서 검사는 유죄의 증거 수집에 집중하고, 피의자에게 유리한 증거는 배척하거나 못 본 체하는 경향이 강하다. 검사는 '공익의 대표자'*로서 피의자가 억울한 누명을 쓰지 않도록 객관적으로 판단할 의무(객관의무)가 있지만, 그것은 이론일 뿐 현실에선 전혀 작동하지 않는다. 수사-기소-재판으로 이어지는 검사의 '일괄 프로세스'는 범죄혐의에 대한 확신이 없으면 불가능하다. 따라서 검사에게 정의란 형사처벌과 동의어다. 그리고 이런 정의는 검찰개혁의 목표인 공정한 검찰권 행사와는 거리가 멀다.

정의로운 검찰은 없다

정의의 판단 기준을 여론에 맞추는 것은 바람직하지 않다. 여론의 법정에서 말하는 정의는 실제 법정에서 구현하고자 하는 정의와 다르다. '아홉 명의 범인을 놓쳐도 단 한명의 억울한 피해자를 만들어

---

* 검사 임용 선서문에 나오는 말이다. 전문은 다음과 같다. "나는 이 순간 국가와 국민의 부름을 받고 영광스러운 대한민국 검사의 직에 나섭니다. 공익의 대표자로서 정의와 인권을 바로 세우고 범죄로부터 내 이웃과 공동체를 지키라는 막중한 사명을 부여받은 것입니다. 나는 불의의 어둠을 걷어내는 용기 있는 검사, 힘없고 소외된 사람들을 돌보는 따뜻한 검사, 오로지 진실만을 따라가는 공평한 검사, 스스로에게 더 엄격한 바른 검사로서, 처음부터 끝까지 혼신의 힘을 다해 국민을 섬기고 국가에 봉사할 것을 나의 명예를 걸고 굳게 다짐합니다."

선 안 된다'는 명제는 여론의 법정에선 환영받지 못한다. 이런 맥락에서 검찰 수사가 여론의 호응과 만나는 것은 매우 위험하다. 수사 대상을 어떻게 해서든지 잡아넣으려고 무리수를 두기 때문이다. 검찰에서 '수사의 전설'로 불리는 심재륜 전 고검장은 '수사 10결'이라는 가르침을 후배들에게 남겼다. "칼은 찌르되 비틀지는 말라"라며 절제된 수사를 강조했다. 그러나 그조차도 여론에 호응하려다 무리수를 뒀다는 비판을 받았다.

심재륜은 1997년 김영삼 정권 말기에 터진 '한보 비리' 수사에 구원투수로 투입되었다. 이 사건은 부실 수사 시비에 휘말려 재수사가 이뤄졌는데, 여론의 반응은 하늘과 땅 차이였다. 1차 수사에선 축소·은폐 수사라는 비난을 뒤집어쓰며 당시 최병국 대검 중수부장이 중도하차하는 수모를 겪었다. 여론이 현직 대통령의 아들 김현철을 '몸통'으로 보는 상황에서 검찰은 의혹을 해소하기는커녕 오히려 '봐주기 수사' 의혹을 더했다. 비난 여론은 고스란히 김영삼 정권에 짐이 되었다.

심재륜이 김현철을 구속하자 시민들의 격려가 빗발쳤다. 그가 지휘한 수사팀은 그 밖에도 정권 실세와 야당의 유력 정치인을 줄줄이 잡아들였다. 심재륜은 이 수사로 검찰의 대표적 '칼잡이'로 이름을 날렸다. 살아 있는 권력도 원칙대로 수사하는 진짜 검사라는 찬사가 뒤따랐다.

그러나 수사팀은 김현철을 한보 특혜대출 관련 혐의가 아닌 조세포탈로 구속기소했다. 특혜대출 관련 혐의를 입증할 증거를 찾지 못하자 다른 혐의로 엮은 명백한 '별건 수사'였다. 검찰은 국정 개입으로 민심의 분노를 산 대통령의 아들을 구속함으로써 당장의 불을 껐지만, 수사결과는 검찰권 남용이라는 비판에서 벗어나지 못했다.

'검찰은 개혁 주체가 될 수 없다'던
문재인의 자기 배반

검찰개혁에 성공하려면 검찰이 스스로 개혁하기를 기대해서는 안 된다. 검찰은 자신들의 기득권을 지키는 쪽으로 유전자가 발달한 집단이기 때문이다. 문재인은 대통령이 되기 전부터 이 사실을 잘 알고 있었다. 그는 야인 시절에 쓴 《검찰을 생각한다》의 서문에서 이렇게 단언했다.

민주주의가 발전하고 인권의식이 높아지면 권력기관은 변해야 합니다. 정권의 권력기관, 통치자의 권력기관에서 국민의 권력기관으로 바뀌어야 합니다. 하지만 권력기관은 스스로 그렇게 변할 수 없습니다. 기득권을 포기하지 않기 때문입니다. 기득권을 포기하기보다는 저항을 선택합니다. 저항 없는 개혁은 역사상 존재해본 적이 없습니다. 이런 이유로 검찰개혁, 권력기관의 개혁을 포함한 모든 개혁에서 개혁의 대상이 개혁의 주체가 될 수 없습니다.

그러나 '대통령 문재인'은 조국 사태가 한창이던 2019년 9월 30일 당시 조국 법무부 장관에게 업무보고를 받는 자리에서 이렇게 주문했다. "검찰개혁에 관해 법무부와 검찰은 함께 개혁의 주체이고, 또 함께 노력해야 한다. 법제도적 개혁에 관해서는 법무부가 중심적인 역할을 해야 하고, 검찰권의 행사방식, 수사관행, 조직문화 등에서는 검찰이 앞장서서 개혁의 주체가 돼야 할 것이다." 검찰개혁의 대상과 주체에 대한 그의 관점이 180도 달라진 것이다. 이 발언은 문재인 정권의 검찰개혁이 실패의 길로 접어들었음을 암시했다.

검찰국가가 온다

돌이켜보면 윤석열 정권, 즉 '검찰정권'의 등장은 마치 한 편의 잘 짜인 각본처럼 진행되었다. '윤석열 검찰'은 촛불 시민들의 염원에 따라 박근혜를 형사처벌한 뒤 곧바로 진보진영의 '구원舊怨'인 이명박을 감옥으로 보냈다. 이어 문재인 정권의 국정과제인 '적폐청산'을 등에 업고 검찰에 껄끄러운 존재였던 국가정보원과 검찰의 권력 남용을 억제하는 역할을 하는 사법부를 초토화했다. 최고의 권력기관으로 등극한 '윤석열 검찰'은 마침내 검찰개혁을 추진한 문재인 정권마저 5년짜리 정권으로 단명시켰다. 윤석열 사단의 거침없는 적폐 수사에 환호했던 문 정권과 지지자들은 이들의 '급변침'에 당황했지만 속수무책이었다.

검찰정권,
진보정권과 진보언론의 콜라보

한편으로 검찰정권은 민주당과 문재인 정권의 오만과 무능이 아니라면 불가능한 일이었다. 문 정권은 야당과 '정치'를 하는 대신 야당을 '적폐세력'으로 몰아 절멸하려고 애썼다. 박근혜 정권 국정농단의 '종범'인 검찰엔 다른 어떤 기관보다 적폐가 가득했지만, 문 정권은 그런 검찰을 적폐청산의 주력 부대로 동원했다. 그 결과 검찰은 국민에게 적폐의 심판자 역할을 위임받은 듯 폭주했고, 급기야 선출된 권력의 민주적 통제마저 부정하는 무소불위의 권력 집단이 되어버렸다. 노무현 정권 때 검찰에 톡톡히 당한 바 있는 문 정권이 또다시 검찰에 배반당한 것은 무능과 오만 외에 다른 이유를 찾기 힘들다.

검찰정권의 등장은 언론에도 큰 책임이 있다. 특히 검찰개혁이 제대로 이뤄지도록 감시해야 할 진보언론이 제 역할을 못한 것은 뼈아프다. 진보언론도 '검찰 받아쓰기'와 '검찰발 단독'에 오랫동안 길든 탓이다. 과거 검찰이 정권의 눈치를 보던 시절 일선 검사가 기자에게 수사 정보를 흘리는 것은 수사가 왜곡되는 것을 막기 위한 일종의 고육지책이었다. 아무리 무도한 검찰 수뇌부라도 언론에 보도된 사실을 뒤집긴 힘들기에 검사들은 언론을 이용해 최소한의 직업적 소명을 다하려고 한 것이다. 이런 맥락에서 과거의 검찰 받아쓰기는 언론 본연의 기능에 부합하는 측면이 있었다.

하지만 정권의 눈치를 볼 필요가 없게 된 검찰은 오롯이 수사 목적을 달성하기 위해 언론을 이용하기 시작했다. 수사 대상자의 혐의를 슬쩍 흘리는 것은 다반사였고, 심지어 법원에서 발부하기도 전에 피의자의 구속영장이 통째로 유출되는 일도 벌어졌다.* 피의사실이 언론에 공개되면 피의자에 대한 여론은 나빠질 수밖에 없다. 보도가 피의자에게 일방적으로 불리하게 나가기 때문이다. 이렇듯 검찰의 언론플레이는 재판을 시작하기도 전에 피의자를 범죄자로 인식하게 만든다. 형사법의 대원칙인 '무죄추정의 원칙'은 가볍게 무시되고 현실에선 '유죄추정'이 판치게 된다. 가뜩이나 수사와 기소 독점으로 무장한 검찰은 언론의 지원까지 받으며 더욱 막강한 권력기관이 되었다.

윤석열 사단은 언론플레이에 능수능란했다. 이들은 보수언론과 진보언론을 구분해 각각의 성향에 맞게 '기사'를 제공했다. '국정농단' '사법농단' '삼성 경영권 승계 의혹'을 수사할 때는 주로 진보언론을 상대로 언론플레이를 했다. 검찰발 단독 기사에 목마른 언론

---

* 2006년 현대차 비자금 사건 수사 당시 정몽구 회장의 구속영장 내용이 영장실질심사 당일 아침 《조선일보》에 통째로 보도되었다. 피의자의 영장이 영장실질심사를 받기도 전에 외부로 유출된 것은 전례가 없었다. 대검 중수부는 "수사가 중단되는 한이 있더라도 유출 경위를 확인해 엄중문책할 것"이라며 진상 조사에 나섰지만, 결과는 수사가 마무리된 뒤 "영장 유출 경위를 모르겠다"라는 발표가 전부였다.

은 검찰이 던져주는 기사를 덥석덥석 받아썼다. 검찰이 흘리는 정보에 어떤 의도가 숨어 있는지 면밀하게 따져봐야 하지만, 속보 경쟁에 내몰린 언론은 찬밥 더운밥 가릴 처지가 아니다. 독자들의 구미에 맞는 기삿거리를 제공하는 '검찰 관계자'가 고마울 따름이다. 적폐 수사를 지휘한 한동훈 당시 서울중앙지검 3차장의 사무실이 출입기자들로 문전성시를 이룬 데는 이런 배경이 있었다. 검찰개혁을 목청껏 외친 진보언론은 검찰과의 부적절한 관계를 앞장서서 끊어야 했지만, 안타깝게도 그렇게 하지 못했다.

윤석열 사단과의 '내연內緣'을 끊지 못한 진보언론은 조국 사태 때 '내분'을 맞는다.* 조국을 타깃으로 한 검찰 수사는 '먼지털기식 수사' '별건 수사' '피의사실공표' 등 명백한 검찰권 남용이었지만, 진보언론은 윤 사단의 폭주를 강하게 비판하지 못했다. 앞서 적폐 수사 때 검찰과의 부적절한 관계를 단절하지 못한 탓에 '형평성 딜레마'에 빠져버린 것이다.

데스크의 뒤늦은 각성은 취재 기자들에게 '불순한 의도'로 의심받았고, 검찰발 기사에 확인 취재를 요구하는 데스크에게 '그때는 맞고 지금은 틀리냐'는 조롱 섞인 항변이 돌아왔다. 조직력이 약해진 언론사가 독자들의 눈높이에 맞는 기사를 생산하는 것은 불가능

---

* 《한겨레》는 조국 사태가 한창이던 2019년 9월과 추-윤 갈등이 벌어진 2021년 1월, 두 차례 취재기자들이 데스크의 편집 방침에 반발하는 성명서를 냈다.

했다. 문재인 정권 후반기, 진보언론은 윤석열 사단의 이른바 '살권수'(살아 있는 권력 수사) 국면에서 존재감을 보이지 못했고, 보수언론의 '윤석열 대통령 만들기'를 속절없이 지켜봐야 했다.

검찰국가의 살풍경

검찰정권의 출범은 정치가 실종된 '검찰 통치'의 시대가 열렸음을 의미한다. 검찰총장 출신 대통령은 정권과 검찰을 공생 관계로 만들고 있다. 대통령실은 물론이고 정부 부처 요직에 검찰 출신을 기용해 강압성과 일방성을 특징으로 하는 '검찰 DNA'를 이식하는 것이다. 이들은 생존 위기에 내몰린 사회적 약자의 절규에 '법대로!'만 되뇌고 있다. 국민의 생명과 안전 보장은 민주 정부의 가장 기본적인 의무라는 사실은 안중에 없는 것처럼 보인다.

2022년 10월 29일 이태원 참사 이후의 상황은 검찰정권의 비인간성을 적나라하게 드러낸다. 검찰정권은 세상의 이치를 사법적 잣대로만 판단하는 검사의 시각으로 국가적 참사를 대했다. 참사 다음날 각 지방자치단체에 '참사' 대신 "이태원 사고"로, '피해자'가 아닌 "사망자"로 쓰라는 내용의 공문을 서둘러 보낸 것이 대표적이다. 일선 공무원들에게는 국가 애도 기간 동안 '근조' 또는 '추모' 글씨가 없는 검은 리본을 달라는 지침까지 내렸다. 요컨대 국정조사나 민·형사소송에서 정부에 책임이 있다고 인정될 만한 용어를 아예 사용하지 말도록 한 것이다.

이런 기조는 이태원 참사를 계기로 구성된 범정부 국가안전시스템 개편 특별팀의 총괄을, 참사의 1차 책임자인 주무장관(이상민 행정안전부장관)에게 맡기는 기행으로 이어졌다. 참다못한 유족들이 진상규명과 책임자 처벌을 공개적으로 요구하고 나섰지만 검찰정권은 꿈쩍도 않는다.

윤석열 사단이 장악한 검찰은 대통령과 집권 여당의 정적을 제거하는 데 검찰의 모든 역량을 쏟아붓고 있다. 정권과 일심동체가 된 듯 최소한의 기계적 균형조차 맞추지 않는다. 과거 검찰 수뇌부가 정권의 눈치를 볼 때도 검찰은 정치적 사건에서 집권 여당과 야당의 균형을 맞추려는 시늉은 했다. 그러나 한동훈-이원석 체제의 검찰은 겉치레는 체질에 안 맞는다는 듯 대놓고 전 정권 인사와 야당에 화력을 집중하고 있다.

'윤석열 검찰총장 징계'를 주도했던 박은정 전 법무부 감찰담당관(광주지검 부장검사)에 대한 수사는 '보복수사'라는 비난을 자초했다. 해당 징계는 법원(1심 재판)이 그 합법성과 정당성을 모두 인정한 것이다. 법원은 심지어 정직 2개월의 징계가 윤석열의 비위에 견줘 너무 가볍다고 판단했다. 그럼에도 윤석열 사단은 박 검사의 70대 노부모가 사는 친정집까지 압수수색하는 등 강력범 다루듯 수사하고 있다. 한 보수단체가 '징계 관련 자료를 불법 입수했다'며 박 검사를 고발한 이 사건은 애초 2021년 6월 무혐의로 종결되었지만, 정권이 바뀐 뒤 보수단체의 항고를 핑계로 1년 만에 검찰이 재수사에 나섰다. 박 검사는 "수사로 보복하는 것은 검사가 아니라 깡패일 것이라고 주장했던 윤석열 전 검찰총장 의견*에 적극 공감한다. 다만 그 기준이 '사람'이나 '사건'에 따라 달라지지 않기를 바랄 뿐"이라고 뼈 있는 말을 남겼다.

문 정권의 '내로남불'을 강하게 비난한 검찰정권은 도덕성에서도 전임 정권과 별반 다를 게 없다. 특히 한동훈의 이중성은 압권이다. 조국 일가 수사를 지휘했던 그는 자신의 고교생 딸도 대학 입시용 '스펙 쌓기'를 했다는 비판이 빗발치자, "실제 입시에 사용된 사실이 전혀 없고, 입시에 사용할 계획도 없다"(2022년 5월 10일 국회 인사청문회)는 기상천외한 해명을 내놨다. 조국 일가를 '멸문' 수준으로 파헤친 수사 책임자가 할 말은 아니었다. 새 정권 출범 직후 내각에는 문제적 인물이 수두룩했지만, 대통령의 입에서는 "전 정권 장관 중에 이렇게 훌륭한 사람 봤나"(2022년 7월 5일 도어스테핑 발언)라는 말이 버젓이 나왔다. 이처럼 전 정권 뺨치는 '내로남불'에 자신도 민망한 듯 윤석열과 그 정권 인사들도 더는 '공정'과 '상식'을 말하지 않는다.

검찰정권은 검찰개혁의 실패가 낳은 부산물이다. 정치 경험과 국

---

*　2016년 12월 윤석열 당시 대전고검 검사는 국정농단 특검 수사팀장에 내정된 직후 박근혜 정권에 대한 보복수사 논란이 일자, "검사가 수사권 가지고 보복하면 그게 깡패지, 검사입니까?"라고 말했다.

정에 대한 비전, 국가 경영에 관한 철학이 전혀 없는 검찰 내 사조직 집단이 개혁의 대오가 흐트러진 틈을 타 정치적 헤게모니를 장악하는 데 성공했다. 이들의 정권 장악 시나리오를 현실로 불러낸 것은 검찰개혁을 외치면서도 검찰의 달콤한 유혹과 단절하지 못한 '입진보'였다.

프롤로그

1 박용현, 〈공정성 외관이 깨진 검찰과 김건희 특별법〉, 《한겨레》, 2022. 9. 22.

2 스티븐 레비츠키·대니얼 지블렛 지음, 박세연 옮김, 《어떻게 민주주의는 무너지는 가》, 어크로스, 2018, 135쪽.

3 문재인·김인회, 《문재인·김인회의 검찰을 생각한다》, 오월의봄, 2011, 382쪽.

4 이창무, 〈문재인 정부 부동산정책의 비판적 평가〉, 《한국행정연구》 vol 29 통권 63 호, 한국행정연구원, 2020, 43쪽.

1장 사람이 문제다

1 조국, 《조국의 시간》, 한길사, 2021, 5쪽.

2 김두일, 《검찰개혁과 조국대전 1》, 차이나랩, 2020, 80쪽.

3 김두일, 위의 책, 81쪽.

4 〈중앙지검 특수부 검사 문정부 들어 23→43명〉, 《중앙일보》, 2019. 10. 7.

5 〈조국에게 총애받던 박형철, 그가 입 열수록 조국은 다친다〉, 《중앙일보》, 2020. 10. 26.

6 〈조국 사심없이 수사했다는 송경호, 광우병 PD수첩 주임검사〉, 《한겨레》, 2020. 1. 20.

7 〈안경환보다 강성학자 박상기, 검찰개혁 떠맡다〉,《한국일보》, 2017. 6. 27.

8 최강욱,《권력과 검찰》, 창비, 2017, 204쪽.

9 문재인,《문재인의 운명》, 가교, 2011, 238~240쪽.

10 〈박범계 "형, 의로운 검사" 윤석열 치켜세우다 등 돌리기까지〉,《한국일보》, 2020. 12. 31.

11 〈1년 전 여당은 윤석열에게 이런 세레나데를 보냈다〉,《조선일보》, 2020. 10. 22.

12 〈제19대 국회 법사위 국정감사 회의록〉, 2013. 10. 21.

13 〈조영곤 중앙지검장 퇴임사…윤석열 정조준〉,《매일경제》, 2013. 11. 27.

14 〈제19대 국회 법사위 국정감사 회의록〉, 2013. 10. 21.

15 〈검사를 구속하려거든 검찰 지휘 제대로 받아라〉,《머니투데이》, 2012. 11. 16.

16 한상진 외,《윤석열과 검찰개혁》, 뉴스타파, 2021, 113~114쪽.

17 〈유명 역술가 "윤석열 총장, 조국이 대통령 되냐고 물어"〉,《JTBC》, 2022. 1. 26.

18 〈대담 문재인의 5년〉,《JTBC》, 2022. 4. 25.

19 〈문재인 정부 검찰개혁 잔혹사〉,《뉴스타파》, 2021. 12. 30.

20 〈윤석열, 면접에선 검찰개혁 강력 찬성…배신의 칼 품고 속였다〉,《오마이뉴스》, 2022. 2. 14.

21 〈양정철 "與 절박함 없어…정권 재창출 비관적 요소 더 많아"〉,《동아일보》, 2021. 6. 8.

22 〈대담 문재인의 5년〉,《JTBC》, 2022. 4. 25.

23 조국,《조국의 시간》, 한길사, 2021, 347~348쪽.

24 문재인,《문재인의 운명》, 가교, 2011, 240쪽.

25 강철원,〈윤석열 스타일은 바뀌지 않는다〉,《한국일보》, 2020. 2. 24.

2장 시간은 개혁의 편이 아니다

1 박상훈,〈정치는 세상을 바꾸지 못한다〉,《한국일보》, 2021. 2. 24.

2 〈박근혜 대통령 사과, "잘못된 적폐척결…대한민국 틀 다시 잠글 것"〉,《연합뉴스》,

2014. 4. 29.

3 박상훈, 〈적폐청산은 민주주의가 아니다〉, 《동아일보》, 2017. 9. 5.

4 〈적폐청산과 문무일 식물(?) 검찰총장〉, 《신동아》, 2017. 12. 24.

5 강희철, 《검찰외전》, 평사리, 2020, 35쪽.

6 〈적폐청산과 문무일 식물(?) 검찰총장〉, 《신동아》, 2017. 12. 24.

7 〈청와대, "안타까울 뿐… 스스로에게 엄격하겠다고 다짐"〉, 《연합뉴스》, 2018. 3. 23.

8 〈"세월호 유족에 부끄럼 없다" 이재수 전 기무사령관 유서〉, 《조선일보》, 2018. 12. 7.

9 〈전 정권 수사, 적폐청산 67% vs 정치보복 23%〉, 《JTBC》, 2018. 1. 2.

10 김용철, 《삼성을 생각한다》, 사회평론, 2010, 68쪽.

11 〈삼성 쪽, 이재용 범죄사실에서 삼성생명 건 빼달라 요구〉, 《한겨레》, 2020. 9. 16.

12 〈법원 이재용 변호인 구속영장서 삼성생명 부분 빼달라 한 건 사실〉, 《한겨레》, 2022. 2. 8.

13 〈윤석열 취임 뒤 10번째 영장기각 공개 비판… 법원 내 우려 커져〉, 《한겨레》, 2018. 3. 7.

14 〈검찰, "영장기각, 남의 장사에 인분 붓는 격" 반발〉, 《노컷뉴스》, 2006. 11. 3.

15 〈검사가 판사에 두고 보자 협박성 메일〉, 《서울경제》, 2009. 1. 29.

16 〈일본 변호사들 "개인청구권 소멸되지 않았다" 공동성명〉, 《한국일보》, 2018. 11. 5.

17 〈검찰기자단〉, 《MBC PD수첩》, 2019. 12. 3.

18 권석천, 〈검찰청의 편집자들〉, 《중앙일보》, 2019. 10. 22.

19 〈양승태, 사법농단 재판서 한동훈을 소환한 까닭은〉, 《경향신문》, 2021. 4. 7.

20 〈법원 사법농단 유해용 영장기각, 검찰 "기각 위한 기각 사유" 반발〉, 《서울신문》, 2018. 9. 21.

21 〈검찰, 사법농단 의혹 수사팀 재차 확대…특수2부·방수부 추가 투입〉, 《조선일보》, 2018. 9. 8.

22 〈사법부 신뢰도 OECD 꼴찌, 대법원 발칵 뒤집혔다는데…〉, 《조선일보》, 2019.

11. 5.

23 〈신뢰 못 받는 사법부, 내부 징계부터 바꿔야〉, 《세계일보》, 2021. 2. 10.

24 〈[기자수첩] 관료는 기소만 당해도 옷 벗어야 하나〉, 《이데일리》, 2018. 9. 17.

25 지철호, 《전속고발 수난시대》, 홀리데이북스, 2021, 41쪽.

26 〈2018년 전속고발제 폐지는 조국·박형철 민정라인 주도〉, 《국민일보》, 2020. 10. 29.

27 사람사는세상 노무현재단 엮음, 유시민 정리, 《운명이다》, 돌베개, 2019, 272~ 273쪽.

28 문재인·김인회, 《문재인·김인회의 검찰을 생각한다》, 오월의봄, 2011, 147쪽.

29 문재인·김인회, 위의 책, 149~150쪽.

3장 민심이 바뀌다

1 한상진 외, 《윤석열과 검찰개혁》, 뉴스타파, 2021, 165·178쪽.

2 강희철, 《검찰외전》, 평사리, 2020, 181쪽.

3 〈조직 추스르기 나선 윤석열…"보직보다 무슨 일 하는지가 중요"〉, 《조선일보》, 2019. 8. 6.

4 추미애·김민웅, 《추미애의 깃발》, 한길사, 2021, 203쪽.

5 〈제18차 방송통신위원회 회의 속기록〉에서 발췌, 2020. 4. 9.

6 〈검사장 "신라젠 사건 알지도 못한다" MBC 보도 반박〉, 《조선일보》, 2020. 3. 31.'

7 〈이수진 "김건희와 카톡 332회 의아" 한동훈 "윤 연락 안돼서"〉, 《중앙일보》, 2022. 5. 9.

8 〈김건희 "한동훈한테… 몰래해야지, 동생 말조심해"〉, 《오마이뉴스》, 2022. 1. 21.

9 〈"윤석열이 계속 묻나봐, 음성파일" 검언유착 보도 직후 채널A 카톡〉, 《오마이뉴스》, 2022. 2. 16.

10 문재인·김인회, 《문재인·김인회의 검찰을 생각한다》, 오월의봄, 2011, 258쪽.

11 문재인·김인회, 위의 책, 260쪽.

12 문재인·김인회, 위의 책, 272쪽.

13 〈추미애, 내가 사퇴하면 윤석열도 사퇴할 줄 알았다〉,《경향신문》, 2021. 1. 25.

14 〈양향자 "검수완박 안하면 文정부 사람들 감옥간다며 찬성하라더라"〉,《조선일
보》, 2022. 4. 21.

15 〈1호 기소 무죄에 체면 구긴 공수처…"검사 60% 늘려달라"〉,《중앙일보》, 2022.
11. 15.

16 강희철,《검찰외전》, 평사리, 2020, 95쪽.

17 사람사는세상 노무현재단 엮음, 유시민 정리,《운명이다》, 돌베개, 2019, 275쪽.